153 JOURS EN HIVER

XAVIER-LAURENT PETIT

153 JOURS EN HIVER

Flammarion Jeunesse

À Manon.

*Merci à Galsan Tschinag et Dan O'Brien
pour ce qu'ils m'ont appris
au travers de leurs livres,
sur la Mongolie et le dressage des rapaces.*

CHAPITRE 1

U n jour, je t'accompagnerai et on fera des milliers de kilomètres ensemble.

— Lorsque Galshan disait ça à son père, Ryham lui ébouriffait les cheveux en riant : « Camionneur, c'est pas pour les filles ! Tu sais, je passe souvent dans des régions dangereuses, avec des rebelles... J'ai toujours une arme à côté de moi, au cas où... » Mais tout ce qu'il pouvait dire lui donnait encore plus envie d'y aller. Un matin, elle en était sûre, elle se cacherait dans le camion et, lorsqu'il la découvrirait, il serait trop tard pour faire demi-tour.

En attendant, une ou deux fois par semaine, Galshan montait dans les bus qui menaient au centre-ville, là où allaient les touristes. Elle se promenait dans ce qui restait de la vieille cité : une poignée de rues minuscules nichées derrière l'ancien bazar. Tout le reste avait été détruit pour faire des immeubles. Dans les boutiques, ça sentait le bois, la viande de mouton et l'encens. Les yeux mi-clos, les vieux fumaient leurs pipes et, accroupies sur le pas des portes, les vieilles vendaient de minuscules fromages, secs comme des cailloux. Galshan aurait mille fois préféré habiter là plutôt que le district de Nalaïkh...

Elle appuya son front contre la vitre froide. Celle d'à côté avait été remplacée par un carton quand les garçons avaient shooté dedans. Dehors, le spectacle était toujours le même : les grands immeubles bâtis par les Russes se lézardaient, les fers à béton rouillaient et, le long d'Ikhoiturüü, les bus crachotaient leurs nuages de gazole.

Dans son dos, un petit gémissement la fit sursauter. Oh, trois fois rien ! À peine plus qu'un soupir.

Elle eut à peine le temps de se retourner, sa mère s'écroula sur le lit de fer, les mains crispées sur son ventre déjà très rond. Pâle à faire peur, Daala tourna vers sa fille un visage trempé de sueur et esquissa quelque chose qui, dans son idée, devait ressembler à un sourire.

— Maman !

Tout au creux de sa poitrine, ce fut soudain comme si un énorme poing l'écrasait, comme si elle n'était plus qu'une enveloppe de peau molle et chiffonnée. Galshan dévala l'escalier quatre à quatre et se précipita dans la loge de la gardienne, la seule de l'immeuble à avoir le téléphone.

Lorsque le médecin du district déboula enfin au volant de sa vieille Volga, il eut le même geste que son père pour lui ébouriffer les cheveux. Sauf qu'il n'était pas son père, et qu'elle n'était pas son chien ! Galshan se recula avec un geste d'agacement.

— Excuse-moi, grogna-t-il, j'oublie que tu n'es plus une petite fille !

Ici, tout le monde connaissait cet énorme type chauve et sans âge qui, été comme hiver, était perpétuellement en sueur. Et il connaissait tout le monde. Des bébés pisseux jusqu'aux grand-mères édentées, il soignait tout le quartier. Il entra sans frapper, tira une chaise jusqu'au lit et regarda la mère de Galshan.

— Alors Daala, sourit-il, on nous fait une petite faiblesse ?

Ses grosses mains poilues palpèrent longuement son ventre au travers du tissu, comme si ses doigts d'égorgeur pouvaient comprendre quelque chose à la toute petite vie qui se cachait au creux de Daala. Il glissa sans façon son stéthoscope sous la robe, grimaça derrière ses petites lunettes rondes et se tourna vers Galshan.

— Tu peux sortir quelques instants, s'il te plaît ?

Galshan hésita, mais Daala plissa les yeux comme pour dire : ne t'inquiète pas, ça va aller maintenant.

Malgré les premiers froids de l'automne, la rue était pleine d'enfants. Galshan y retrouva Aïbora, toujours prête pour une partie de « pêche à la photo ». Elle avait passé son costume traditionnel et guettait les rares taxis qui remontaient Ikhoiturüü pour déposer les touristes en centre-ville. La plupart d'entre eux demandaient au chauffeur de s'arrêter pour la photographier, alors Aïbora s'approchait et, avec un grand sourire, leur tendait la main. Presque à tous les coups, les Occidentaux lui donnaient un beau dollar tout vert.

Un dollar pour une simple photo ! Un dollar pour un centième de seconde ! Bon sang ! L'argent devait leur pousser sous les pieds ! Avant que Ryham, le père de Galshan, ne gagne autant à bord du camion de la coopérative, il lui fallait avaler des jours de piste, à travers les steppes, les gués et les déserts.

Assise sur une marche d'escalier, Galshan regarda son amie empocher trois dollars, le premier avec des Allemands, et les deux autres avec un groupe de Français. Aïbora avait de la chance. Jamais ses parents à elle n'auraient accepté qu'elle pêche à la photo.

Un gros avion russe à hélices vira au-dessus des immeubles en faisant tout vibrer. Il s'éloigna vers l'aéroport et c'est seulement quand il disparut que Galshan entendit le médecin l'appeler par la fenêtre. Avec lui, les visites ne duraient jamais très longtemps parce qu'il était seul pour tout le district.

Il ôta ses lunettes, et planta ses petits yeux de taupe droit dans les siens.

— Écoute-moi bien, Galshan. Le bébé qui arrive fatigue beaucoup ta maman. Elle doit se reposer jusqu'à ce qu'il naisse...

C'était plutôt une bonne nouvelle. Ça signifiait que le bébé était encore là. Parce que Daala avait déjà été enceinte – plusieurs fois même – mais à chaque fois, comme disait Ryham, « le bébé ne s'était pas accroché ». Celui-ci avait l'air de vouloir tenir !

Le médecin se gratta le menton et remit ses lunettes. De grosses gouttes de sueur perlaient sur son front.

— En fait, elle doit tellement se reposer qu'il faut qu'elle reste couchée jusqu'à la naissance. Dans cinq mois.

CHAPITRE 2

Ryham ne revenait jamais chez lui pour très longtemps. Quatre ou cinq jours, parfois une semaine. Jamais plus. Le temps pour les mécanos de réviser le camion et pour les employés de la coopérative de le charger. Le temps aussi, quand c'était possible, de partir avec sa fille pour une longue journée de cheval. À la sortie de la ville, Galyj leur prêtait deux bêtes et les regardait s'éloigner au petit trot, mais, dès que Ryham et Galshan retrouvaient la steppe, lorsque les hautes herbes atteignaient leurs étriers, ils galopaient comme des fous. Ils se lançaient dans des courses interminables et hurlaient comme des loups, jusqu'à ce que leurs oreilles sifflent, que leurs muscles leur fassent mal et que la poussière leur brûle les yeux. Ils ne revenaient qu'à la nuit tombée, le visage en feu, les mains glacées, et Daala souriait en les traitant de sauvages.

Et puis, un matin, Ryham embrassait sa femme et sa fille, et il repartait pour des milliers de kilomètres. Il descendait loin au sud, de l'autre côté des montagnes et de la frontière, jusqu'au Pakistan, parfois jusqu'en Inde. L'année dernière, il était allé à Istanbul, en Turquie. Il en était revenu avec une petite pierre ronde, noire et luisante comme un œil, qu'il avait offerte à Galshan.

On disait que le camion de la coopérative était le plus gros du pays : un Ural de quarante-huit tonnes ! Un vrai monstre de huit essieux dont la taille des roues dépassait la plupart des hommes. Lorsqu'ils savaient Ryham sur le point de revenir, les gamins du quartier étaient capables de le guetter pendant des jours entiers. Il y avait des signes qui ne trompaient pas : le grondement du moteur, reconnaissable entre mille (parfois, lorsque le vent portait, on pouvait l'entendre plusieurs minutes avant d'apercevoir le camion), le nuage de poussière tout au bout de l'avenue et surtout les longs coups de trompe pour avertir de son arrivée.

Un jour, une touriste américaine avait dit à Galshan qu'avec ses grandes herbes qui ondulaient, la steppe ressemblait à une mer sur laquelle le camion de Ryham naviguait comme un bateau. C'était la première fois que Galshan rencontrait quelqu'un qui avait déjà vu la mer en vrai. Ici, personne ne savait à quoi elle pouvait bien ressembler.

*

— Va jouer avec les autres, Galshan, insista Daala, le médecin m'a demandé de rester allongée, mais il n'a jamais dit que tu devais me surveiller. Je ne suis pas malade, tu sais...

Mais Galshan n'avait pas trop envie d'aller dehors, une vague inquiétude la retenait auprès de sa mère. Elle repensa à ce qu'avait dit le médecin. Cinq mois... le bébé... et ce repos forcé de Daala. Elle avait envie d'en rire et en même temps d'en pleurer.

Soudain, les gosses qui traînaient dehors arrêtèrent leurs jeux et, dans le brusque silence qui suivit, Galshan entendit le grondement d'un moteur. Ils se mirent à hurler : « Voilà Ryham ! Voilà Ryham ! » et presque aussitôt le beuglement de la trompe du camion retentit. Elle se précipita.

L'énorme masse de l'Ural surgit au bas d'Ikhoiturüü, ralentissant au fur et à mesure que des grappes de gamins s'agrippaient aux pare-chocs et aux marchepieds. Galshan, elle, l'attendait sans bouger. Dès que Ryham aperçut sa fille, il lança trois appels de phare et elle lui répondit par de grands gestes des bras. Depuis qu'elle était toute petite, c'était leur code.

Comme d'habitude, il ouvrit grand les vitres et les gamins s'engouffrèrent dans la cabine. Il en avait jusque sur les genoux qui faisaient semblant de tenir le volant à eux tout seuls. Le camion accosta lentement le long de l'immeuble. Son mufle poussiéreux se rapprocha de Galshan jusqu'à ce qu'elle sente la chaleur du moteur. Elle ne bougea pas d'un millimètre. Ça faisait partie du rituel.

Les freins gémirent et l'énorme grondement se tut soudain. Galshan pouvait toucher la calandre brûlante rien qu'en tendant la main. Ryham descendit en laissant les gosses jouer à l'intérieur et la serra contre lui. Il sentait le goudron et la poussière. L'odeur de la route et celle de la cabine. Il prit le visage de sa fille entre ses mains et la regarda comme s'il la découvrait pour la première fois.

— Tu as encore grandi, toi...

*

Dans l'appartement, il n'y avait qu'une seule pièce pour tout faire : dormir, manger, cuisiner... Pas facile d'y cacher ses petits secrets ! Et Dieu sait que ce soir, il y en avait des secrets ! Les voix des parents bourdonnaient comme de gros moustiques, les soirs d'été. Mais Galshan avait beau s'appliquer à écouter, ils chuchotaient si bas qu'il était impossible de les entendre.

De toute façon, ce n'était pas bien sorcier de deviner de quoi il s'agissait. Le collège reprenait dans une semaine et, d'ici là, Ryham serait de nouveau sur les routes. Il ne reviendrait ensuite que pour partir et repartir, encore et encore. Comme d'habitude. Quant à Daala, elle en avait pour des mois d'immobilité forcée. Galshan sentit l'inquiétude lui tarauder le ventre. Et elle, là-dedans, qu'est-ce qu'elle devenait ?

Insensiblement, les parents se mirent à parler plus fort.

— Tu en es sûr ? murmura Daala.

Galshan n'aima pas le ton de sa voix.

— Écoute, depuis tout à l'heure, je tourne le problème dans tous les sens, et, à chaque fois, j'en reviens à ce qu'on a déjà dit. On envoie Galshan là-bas et on demande à ta sœur de venir s'installer ici pour t'aider jusqu'à la naissance... Il n'y a pas d'autre solution. Ce n'est pas de ma faute si cet appartement est trop petit pour accueillir tout le monde.

— C'est pour Galshan que je suis inquiète...

— Écoute, elle n'est plus une enfant. Elle comprendra. Et puis je passe le voir de temps en temps avec le camion, je t'assure qu'il a beaucoup changé ces derniers temps... Tu verras, ça va très bien se passer.

— Quand même, Ryham, cinq mois ! Tu te rends compte ?...

Il ne répondit pas, ou alors si bas que Galshan ne l'entendit pas.

Elle resta un moment les yeux grands ouverts dans l'obscurité, les nuages défilaient devant la lune. Jamais encore elle n'avait serré aussi fort la petite pierre d'Istanbul au creux de sa main. Cinq mois... Où était-ce, « là-bas » ? Et qui était ce « il » qui avait beaucoup changé ?...

Elle eut soudain peur de comprendre.

CHAPITRE 3

Daala détourna la tête pour ne pas montrer qu'elle aussi avait les yeux rouges. Sa voix tremblotait.

— Tu verras, ma chérie, ça va passer bien plus vite que tu ne le penses... Et puis quand tu reviendras, on fêtera ton retour et l'arrivée du bébé.

Galshan fit juste oui de la tête. Au moindre mot, elle explosait en sanglots. Elle posa sa main sur le ventre de sa mère, et elles restèrent là, toutes les deux à attendre que bébé bouge. Mais rien ne se passa. Ce n'était pas son jour, ou bien il faisait sa mauvaise tête, alors elle se pelotonna contre Daala, à écouter sa respiration et le bruit de son cœur pendant qu'elle lui caressait doucement les cheveux.

Toutes ses affaires tenaient dans un sac, au pied du lit. De gros vêtements d'hiver en feutre, en laine et en cuir. Et puis les bottes neuves que son père avait achetées le matin même à la coopérative.

« Parce que là-bas, la neige arrive encore plus tôt qu'ici... »

Ryham tournait en rond dans le petit appartement. Vaguement mal à l'aise, il toussotait, nouant et dénouant ses grosses mains. Il regarda sa montre et jeta un regard furtif vers sa fille.

— Galshan, il faut qu'on parte, maintenant. Tsagüng, ce n'est pas la porte à côté.

Elle ne répondit pas. Daala la poussa doucement.

Dehors, au milieu de l'avenue, les garçons jouaient au foot avec un ballon à moitié dégonflé. Lorsqu'un bus ou un camion passait en klaxonnant, ils dégageaient de leur terrain en traitant le chauffeur de tous les noms.

Le moteur de l'Ural vrombit. Les garçons s'arrêtèrent pour assister au départ.

Ryham enclencha la première et les quarante-huit tonnes de métal s'ébranlèrent lourdement.

Grimpée sur le marchepied, Aïbora tenait la main de Galshan.

— Je vais te garder une place à côté de moi, au collège. Pour quand tu reviendras.

Pour elle, c'était facile à dire... Galshan la voyait toute brouillée de larmes. Ryham lui fit signe de descendre et Aïbora sauta en marche. Le camion prit un peu de vitesse, la tête passée à l'extérieur, Galshan la regarda rapetisser.

Tout au fond, l'immeuble n'était plus qu'une petite tache sombre.

Pendant un long moment, le père et la fille n'échangèrent pas un mot. Lui aussi avait la gorge nouée, bien plus qu'il ne voulait se l'avouer. La ville disparut derrière le nuage de poussière que soulevaient les huit essieux. Les maisons s'espacèrent, la route goudronnée s'effaça et laissa brusquement place à une piste de terre qui dessinait une longue ligne sombre entre les hautes herbes.

Devant, la steppe semblait infinie.

Ryham toussota.

— Baytar est prévenu de ton arrivée, dit-il enfin. J'ai chargé un copain qui descendait en camion vers Tsagüng de lui dire. Je crois qu'il est très content de te revoir. Ça fait si longtemps... Et puis tu ne seras pas toute la journée avec lui, je t'ai inscrite au collège du district. Le même que celui où j'allais quand j'avais ton âge. Une demi-heure de cheval pour y aller ! Au début, Baytar t'accompagnera. Tu verras, c'est une autre vie qu'ici...

Galshan haussa les épaules et se pelotonna contre la portière, une grosse boule de sanglots bloquée au fond de la gorge.

*

Cinq mois ! Cent cinquante-trois jours chez Baytar ! Elle avait calculé hier !

Cent cinquante-trois jours chez un vieux fou qui vivait seul au milieu de ses chevaux et ses moutons !

« Vieux fou ! » Le mot lui avait échappé lorsque ses parents lui avaient annoncé leur décision et Ryham s'était fâché comme jamais. Pour la première fois de sa vie, il avait failli la gifler. C'est Daala qui avait retenu son bras au dernier moment.

— Tu n'as pas à traiter ton grand-père de cette façon ! avait-il crié. Même s'il ne s'est pas toujours très bien comporté, n'oublie pas que Baytar est mon père et que tu es sa petite-fille !

Elle avait tout essayé pour y échapper : elle se ferait toute petite, aiderait de son mieux, ne gênerait personne ! Elle avait pleuré, crié, trépigné. Rien à faire... Ses parents étaient restés inflexibles.

Quant à Baytar... Elle le connaissait à peine. Elle n'avait pas dû le voir plus de quatre fois dans sa vie et c'est tout juste si elle se souvenait de son visage.

Il faut dire qu'entre Ryham et lui, les choses ne s'étaient pas toujours bien passées. L'histoire remontait à l'année de sa naissance, lorsque Daala et Ryham s'étaient rencontrés. Elle enseignait l'anglais et lui finissait son service militaire dans l'Armée du Peuple. Ils s'étaient mariés sans rien demander à personne et avaient décidé de rester en ville.

Baytar s'était mis dans une colère épouvantable.

D'abord, il n'avait jamais accepté que son fils épouse une telle femme. Une femme des villes, qui ne savait ni traire les bêtes, ni monter à cheval, ni agneler une brebis. Une femme qui ne connaissait que ce métier totalement inutile de professeur d'anglais.

Ensuite, il n'avait jamais compris que Ryham ne continue pas, comme tous les hommes de la famille l'avaient toujours fait, à élever ces immenses troupeaux de chevaux et de moutons qui, été comme hiver, parcouraient les flancs des montagnes.

Mais surtout, ce que Baytar n'avait jamais digéré, c'est que le premier-né de ses petits-enfants, celui qui, à ses yeux, représentait l'avenir de sa famille, soit une fille.

Elle : Galshan.

Chapitre 4

Plus de dix heures qu'ils roulaient. La nuit était tombée. Parfois, une chouette se laissait piéger dans le faisceau des gros phares de l'Ural. Elle battait éperdument des ailes et, au moment où elle allait se cogner contre le camion, replongeait d'un coup dans la nuit.

Le grondement du moteur était toujours égal et la piste défilait, interminable, cahoteuse et pleine de poussière. Les yeux rivés sur l'obscurité, Ryham guettait les nids-de-poule et les éboulements qui surgissaient au dernier moment dans la lueur des phares.

De temps en temps, Galshan piquait du nez, et, lorsqu'elle se réveillait en sursaut, elle était incapable de dire si elle n'avait dormi que quelques secondes ou bien des heures. Elle changeait de position et tentait de se rendormir. Elle en avait marre du camion. Mal partout. À la tête, au dos, aux fesses... Elle n'en pouvait plus de fatigue et d'énervement.

— Tsagüng, fit soudain Ryham en tendant le doigt.

Galshan dormait. Elle écarquilla les yeux. Là-bas, à l'extrême limite des phares, une dizaine de taches blanches surgirent de la nuit. Ryham ralentit. Quelques moutons s'écartèrent précipitamment devant le camion. Leurs gros yeux affolés brillaient comme des lampes.

Les premiers campements devant lesquels ils passèrent étaient abandonnés. Leurs toiles de feutre crevées laissaient passer les herbes qui les avaient envahies.

— Quand j'étais gamin, dit Ryham, il y avait plus de vingt familles ici.

— Et maintenant ?

— Mon père est le dernier. Tous les autres se sont rapprochés de la ville, même s'ils ne vivent pas tous comme nous dans un appartement.

Deux énormes chiens surgirent soudain devant le camion en aboyant, les babines retroussées sur leurs crocs. De vrais molosses. Arc-boutés sur leurs pattes, ils semblaient bien décidés à bloquer le passage. Les freins crissèrent. L'Ural s'arrêta dans un nuage de poussière. Ryham coupa le moteur en laissant les phares allumés et descendit sans hésiter.

— Huda ! Huva ! Calme ! Alors les chiens, on ne me reconnaît plus ?

Les deux bêtes grondaient encore pour la forme. Elles finirent par se taire et approchèrent à pas comptés, en reniflant les mains que le père de Galshan leur tendait.

Une porte s'ouvrit et une silhouette s'avança. Ryham aida sa fille à descendre. Il faisait froid. Le petit vent âcre qui couchait les herbes sentait le suint et les crottes de moutons. Les chiens vinrent silencieusement humer les vêtements de Galshan, leurs museaux arrivaient presque à hauteur de sa poitrine. La silhouette était toute proche maintenant. Galshan tremblait comme une feuille. Dans la pénombre, elle devina un regard fixé sur elle.

Une main rugueuse la prit par le poignet et l'entraîna vers le faisceau des phares. Des doigts écartèrent les cheveux de son front et un visage parcheminé, percé de deux fentes plissées, l'examina lentement.

— Alors comme ça, tu es Galshan, ma petite-fille...

CHAPITRE 5

Comme si elle pressentait soudain ce qui était arrivé, Galshan se redressa d'un bond sur sa paillasse et se précipita dehors. Le jour était levé depuis longtemps. Les moutons piétinaient le sol d'un air buté, les chiens dormaient, la tête entre les pattes, et l'air sentait la fumée.

Elle chercha de tous les côtés. L'Ural n'était plus là ! Ryham était reparti ! Et elle n'avait rien entendu ! À quelques mètres de là, accroupi devant un feu, Baytar tendait ses mains vers les flammes.

— Ton père a repris la route tôt ce matin, fit-il sans se retourner, il n'a pas voulu te réveiller.

Elle resta sans répondre, sans bouger, anéantie par la nouvelle. Le petit vent sec qui lui fouettait le visage était glacial. Elle eut soudain terriblement froid.

Baytar se leva.

— Et puis attache tes cheveux, ou coupe-les. Ça ressemble à quoi de les avoir comme ça, en travers de la figure ? Il y a toujours du vent ici, ça va te gêner.

Il parlait avec cet accent rauque des montagnes qu'elle ne comprenait pas toujours. Elle lui tourna le dos, autant pour échapper à son regard que pour masquer ses larmes. Mais pendant qu'elle tressait ses cheveux en une natte serrée qu'elle enfouit sous son bonnet, elle sentit son regard rivé sur sa nuque. Pas un instant il ne la quitta des yeux.

— Tu as une galette de pain et un bol de lait à côté du feu. Attends-moi là !

Avec une énergie surprenante pour son âge, Baytar sauta sur son cheval, saisit un urga[1] et s'éloigna vers un petit groupe de chevaux en train de paître à flanc de colline. Il les contourna et revint derrière eux au petit trot, à revers du vent. Il se glissa au milieu du troupeau : les bêtes semblaient ne pas l'avoir remarqué. Il les observa un moment, parfaitement immobile, mais, soudain, l'un des étalons poussa un léger hennissement, donnant l'alerte aux autres. D'un même élan, tous les chevaux détalèrent mais Baytar les avait précédés d'un dixième de seconde. D'un geste sec, il projeta l'urga vers l'avant. La lanière de cuir se resserra sur une encolure. Le cheval s'ébroua, botta, tenta de se cabrer,

1. Longue perche de saule munie d'une lanière de cuir et d'un nœud coulant pour attraper les chevaux.

mais Baytar était déjà tout proche. Il se pencha sur lui, comme pour lui parler. Ça ne prit qu'un instant. Et, comme par magie, la bête se calma aussitôt.

Lorsqu'il revint au pas vers le campement, le cheval le suivit sans même tenter de tirer sur sa longe. Du bras, Baytar indiqua à Galshan un abri de pierre.

— Là-bas, tu trouveras tout ce qu'il faut pour l'équiper. Monte-le tout de suite, apprends à le connaître, parle-lui, laisse-le repérer ton odeur, repère la sienne. Fais qu'il te soit aussi naturel de le monter que de marcher.

Et, sans un mot de plus, il lui tendit la longe. Les paupières du vieil homme se plissèrent jusqu'à n'être plus qu'une ride au milieu des dizaines d'autres qui sillonnaient son visage.

— Ryham m'a assuré que tu montais aussi bien que lui. Je veux bien le croire, mais je préfère encore le voir.

Il resta un moment silencieux et haussa les épaules.

— De toute façon, qu'est-ce qu'il y connaît maintenant, Ryham ? Est-il seulement capable de faire autre chose que de poser ses fesses dans sa saloperie de camion ?...

Baytar botta légèrement les flancs de son cheval et s'éloigna au galop en projetant des mottes de terre derrière lui. Les chiens filèrent à ses trousses. Il se retourna brusquement et hurla :

— Ton cheval, il s'appelle Gris-de-Fer !

Puis d'une traite, sans ralentir, il grimpa l'arête d'une colline et disparut sur l'autre versant.

Au fond de sa poche, les doigts de Galshan se refermèrent sur la petite pierre d'Istanbul. Les lèvres mi-closes, elle murmura :

— Je te déteste, vieux fou !

CHAPITRE 6

De lui-même, Gris-de-Fer prit l'amble, une allure que Galshan connaissait pour l'avoir souvent pratiquée avec son père. L'allure des longues chevauchées. Toutes les bêtes montées dans la steppe étaient dressées à marcher de cette façon, les deux jambes du même côté levées en même temps. Elle évita d'abord de s'éloigner du campement, mais le cheval piaffait, sa peau tressaillait. Il n'avait qu'une envie : se dégourdir les pattes...

Galshan s'enhardit et le poussa au petit trot vers la colline derrière laquelle Baytar avait disparu. L'herbe lui arrivait à mi-cuisse et les moutons s'écartaient en bêlant sur son passage.

Elle parvint au sommet. Tout autour d'elle, il n'y avait que les herbes, les rochers et le ciel. Rien d'autre ! L'autre versant plongeait presque à pic sur des pentes caillouteuses et menaçantes, parsemées

35

de saxaouls[1]. Elle scruta chaque faille de rocher, chaque repli de terrain. Aucune trace de Baytar... Elle était toute seule. Minuscule ! Une longue rafale de vent balaya le ciel, les tiges sifflèrent. En contre-bas, Tsagüng paraissait incroyablement loin.

Galshan frissonna. Elle avait brusquement l'impression atroce d'étouffer, comme ce jour où elle était tombée dans la rivière. Le courant l'empor-tait. Impossible de résister ! Dès qu'elle cherchait à reprendre haleine, l'eau lui emplissait la bouche et la suffoquait un peu plus.

Un filet de sueur glacée ruissela le long de son dos et la peur se nicha comme un gros rat au creux de son ventre. Dressée sur ses étriers, elle hurla à pleins poumons.

— Baytar !... Baytar !...

Gris-de-Fer coucha les oreilles en bronchant. Le ventre noué, elle resta immobile, l'oreille aux aguets. Seul le vent répondit et, très haut, un rapace qui planait lança un cri aigu. Il resserra ses cercles autour d'elle, comme s'il la guettait.

Elle ne put s'empêcher de lui faire de grands gestes : Barre-toi ! Barre-toi !

Elle n'avait plus qu'une idée. Revenir ! Revenir tout de suite ! Son cœur cognait comme un piston.

1. Arbrisseau sans feuille qui pousse dans les régions désertiques d'Asie centrale.

Dans une sorte d'affolement, elle planta ses talons dans les flancs de Gris-de-Fer qui s'élança aussitôt dans la pente au grand galop. Agrippée à sa crinière, elle était ballottée comme un fétu, à deux doigts d'être désarçonnée. Ses bottes échappèrent soudain aux étriers, elle perdit son aplomb et se sentit glisser, glisser... Sous elle, les herbes et les rochers défilaient à toute allure, les sabots martelaient la terre.

Si Ryham avait été à ses côtés, il lui aurait hurlé : « Redresse-toi ! » Au prix d'un effort exténuant, les muscles tendus comme des cordes, elle se redressa. « En arrière maintenant, le poids sur tes fesses... » En arrière... Le poids sur ses fesses. Elle rééquilibra son assise. Maintenant, ses muscles s'adaptaient mieux au rythme du cheval, elle retrouvait peu à peu les mêmes sensations que lors des longues chevauchées avec son père. Les crins fouettaient son visage, le vent sifflait à ses oreilles. Exactement comme lorsque Ryham était à côté d'elle. Mieux même ! Elle avait l'impression de ne jamais avoir autant galopé, si vite... Les yeux fermés, elle se laissa emporter.

Elle ne les rouvrit que lorsque Gris-de-Fer s'arrêta net devant le campement. Alors, penchée sur son encolure trempée de sueur, elle resta un long moment à écouter son sang d'animal pulser à grands jets le long de ses veines pendant que lui, les naseaux dilatés, la humait longuement.

*

Baytar ne réapparut qu'au milieu de l'après-midi.
Il débaula d'une crête et fonça droit sur le campement pour ne s'arrêter qu'à quelques pas d'elle. Elle
ne bougea pas d'un centimètre.

— Tu n'as pas eu peur ?

— Non, mon père fait la même chose avec son
camion, et il est autrement plus gros que ton cheval.

Le vieux fit celui qui n'avait rien entendu.

— Je croyais t'avoir demandé de monter ton cheval.

— Je l'ai fait toute la matinée.

— T'as mal aux fesses ?

— Un peu...

— Un peu seulement ! Ce n'est pas assez.
Monte !

— Mais je...

— Monte !

Le ton était sans réplique. Il entraîna Galshan
jusqu'aux dernières gers[1] du campement dont les
toiles défoncées battaient au vent. En quelques
minutes, le ciel s'était couvert de nuages.

— Tu vois ce vallon, en face de nous ?... Il y a
une source au fond. On va y emmener boire nos
chevaux. Au premier arrivé !

1. Grosse tente circulaire, en feutre.

Baytar poussa un cri et claqua la croupe de Gris-de-Fer. Galshan bascula en arrière, s'agrippant de justesse à sa crinière. Lorsqu'elle retrouva son équilibre, le vieil homme était sur ses talons, à hurler comme un dément. Et à chacun de ses cris, Gris-de-Fer accélérait encore, et encore.

— C'est mou, gueula Baytar, tu te tiens comme une limace !

Ce n'était pas vrai, elle le savait bien ! Il disait ça uniquement pour la provoquer, pour voir jusqu'où elle était capable d'aller. Elle ravala ses larmes. « Je te déteste ! » Il voulait voir, ce vieux cinglé ? Eh bien il allait voir ! De toutes ses forces, elle botta les flancs de Gris-de-Fer. Son encolure se tendit presque à l'horizontale, ses naseaux se dilatèrent, sa bouche écumait. Autour d'eux, le paysage défilait à un train d'enfer, le bruit des sabots fracassait la terre durcie. Bientôt, elle ne vit plus rien, n'entendit plus rien, il ne restait que la puissance des muscles de son cheval lancé dans un galop affolant.

Pendant quelques secondes, le cheval de Baytar s'accrocha et puis le miracle se produisit : sans même se retourner, Galshan devina qu'il perdait du terrain. Le fond du vallon était tout proche maintenant. Elle allait gagner ! Elle allait l'enfoncer ! Les yeux mi-clos, elle entrevoyait déjà le filet d'eau à travers les herbes. Elle se tenait comme une limace, hein ! Elle hurla à son tour, aussi fort que lui tout à l'heure. Plus qu'une centaine de mètres !

Derrière, il reprit son cri.

— Yeehaaa !

Et soudain, il fut là, tout proche. Ils galopèrent quelque temps, cuisse contre cuisse, flanc contre flanc. Quelques mètres encore ! Tenir quelques mètres ! Et tout à coup, le cheval de Baytar se détacha. Il la dépassa et arriva avec une encolure d'avance.

Les bêtes écumaient de sueur et soufflaient comme des forges, le vent emportait les longs filets de bave blanche qui pendaient de leur bouche. Un imperceptible sourire aux lèvres, Baytar arracha une grosse poignée d'herbes pour bouchonner le sien.

Sans rien dire, le vieux et Galshan regardèrent les bêtes boire à longs traits, et, lorsque les premières gouttes de pluie s'écrasèrent sur le sol, les chevaux dessellés se roulèrent dans les herbes.

Ils revinrent au pas, sous une pluie battante.

Le soir, à la lueur tremblotante du poêle, Galshan sortit de son sac un petit carnet qu'elle avait emporté et cocha la première des cent cinquante-trois journées qu'elle passerait à Tsagüng.

Elle avait l'impression d'être là depuis des jours.

CHAPITRE 7

Le matin, Baytar partait si tôt que Galshan ne l'entendait même pas se lever. Ses chiens le suivaient et elle restait seule avec Gris-de-Fer.

Plus tard, au moment où le soleil était au plus haut, le rapace planait au-dessus des montagnes, là où elle l'avait aperçu pour la première fois. C'était toujours le même. Ryham lui avait appris à reconnaître leurs silhouettes : les milans avec leur queue en flèche, les ailes pointues des faucons, la queue arrondie des buses... Mais celui-ci était bien différent : plus gros, les ailes plus larges... Elle le regardait virer en larges cercles, les ailes déployées, parfaitement immobiles. Parfois, il n'était plus qu'un minuscule grain noir à l'aplomb du ciel.

Alors Galshan se disait que d'où il était, il apercevait peut-être Ikhoïturüü, l'immeuble, Daala étendue sur son lit et Aïbora, en train de pêcher à la photo...

Tous les matins aussi, Galshan s'entraînait.

Une fois équipé, Gris-de-Fer grattait le sol d'impatience. Il avait compris.

— Yeehaaa !

Ils s'élançaient vers le fond du vallon et filaient au-dessus des herbes dans un affolant vacarme de sabots et de hurlements. À eux deux, ils ne formaient plus qu'une seule masse de muscles et d'excitation. Tout autour, le monde défilait à toute allure : les prairies, les collines, les moutons, les autres chevaux... Plus rien n'avait d'importance. Seuls comptaient la vitesse, le sifflement du vent et, tout là-bas, la source qui se rapprochait à chaque foulée.

Lorsqu'ils arrivaient, Gris-de-Fer buvait à longues goulées tandis que Galshan l'essuyait avec un bouchon d'herbes sèches. Ils revenaient calmement vers Tsagüng, au petit trot, mais à peine la première ger dépassée, ils faisaient volte-face et...

— Yeehaaa !

Sous ses cuisses, Galshan sentait chaque effort de sa monture, chaque instant de son élan, elle essayait alors de se faire encore plus légère, encore plus souple. De n'être plus que le cri qui l'encourageait dans ce galop éperdu.

Lorsque Baytar revenait de ses mystérieuses expéditions de la matinée, Gris-de-Fer était aussi sec que s'il n'avait jamais galopé, mais tandis que les galettes de froment grillaient sur les braises, il prenait le temps de l'examiner. Il ne disait rien, mais Galshan devinait qu'à d'imperceptibles détails, il savait qu'elle s'entraînait.

Elle battit le vieux Baytar le neuvième soir.

Ce matin-là, avec Gris-de-Fer, ils avaient galopé comme jamais, comme si le cheval et elle ne faisaient qu'un. Alors le soir, dès qu'elle hurla « Yeehaaa », elle sut qu'ils allaient gagner. Et, lorsqu'elle arriva avec toute une longueur d'avance sur Baytar, Galshan se laissa tomber dans l'herbe, secouée par un incroyable fou rire.

À son habitude, le vieux ne dit rien, mais ses rides se plissèrent toutes ensemble et l'une d'entre elles était un sourire.

Le lendemain matin, une main secoua rudement Galshan.

— Lève-toi et habille-toi, grogna Baytar, à partir d'aujourd'hui, tu m'accompagnes.

Le jour n'était qu'une fine ligne orangée au-dessus des montagnes de l'est, les chiens jappaient dans le froid et de gros jets de vapeur blanche jaillissaient des naseaux des chevaux.

CHAPITRE 8

L es chevaux grimpaient lourdement le sentier, roulant les caillasses sous leurs sabots. Une gélinotte[1] effrayée s'enfuit soudain entre leurs jambes et les chiens se précipitèrent comme des fous pour la happer en plein vol. Galshan avait oublié ses moufles et le froid du petit jour lui sciait les mains, mais elle se garda bien de dire quoi que ce soit à Baytar.

Elle le rejoignit sur la crête où il venait de s'arrêter et resta un moment stupéfaite. Jusqu'alors, Galshan avait toujours cru que les quelques dizaines de bêtes du campement constituaient tout le troupeau de Baytar ! Mais là, sous ses yeux, des centaines de moutons se pressaient sur un immense plateau encerclé de montagnes. Jamais elle n'en avait vu autant. Tous portaient une large cordelette

1. Oiseau assez proche de la perdrix.

rouge nouée dans la toison. De loin, on aurait dit un champ de coquelicots.

— Il y en a plus de trois cents, dit Baytar avec une pointe de fierté dans la voix. J'avais ton âge quand ma grand-mère m'a offert ma première brebis...

Langue pendante, Huda et Huva vinrent se coucher à ses pieds, le regard rivé à leur maître.

— Allez les chiens ! lança-t-il.

Les deux molosses se dressèrent d'un bond et filèrent chacun d'un côté. En quelques aboiements, ils rabattirent les bêtes les plus éloignées et, suivi de Galshan, Baytar entama son inspection. Pas une seule brebis, pas un seul agneau n'échappait à son regard plissé de vieux berger. De temps à autre, il s'approchait d'une bête pour l'examiner de plus près. Ça ne lui prenait qu'une poignée de secondes puis il repartait en grommelant quelques mots incompréhensibles.

Baytar tendit soudain la main vers une brebis.

— Tiens regarde celle-là ! Ça fait plusieurs jours que je la cherche, tu vas m'aider.

Une énorme bosse déformait la peau de la bête à hauteur de l'épaule. Elle tenta de s'échapper lorsque Baytar s'approcha mais le lacet de l'urga s'était déjà resserré sur son encolure. Il lui saisit les pattes et la brebis s'effondra par terre.

— Tu me la tiens comme ça, les pattes bien serrées contre toi, un genou sur sa poitrine. Et ne bouge pas !

Le gros œil de l'animal la fixait d'un air affolé. La brebis se débattit, mais Galshan la serrait de toutes ses forces. L'abcès suintait le long de sa toison en une longue traînée répugnante. Baytar s'agenouilla, son couteau à la main.

— Et lâche pas, surtout ! répéta-t-il.

Galshan se demanda s'il allait la tuer, comme ça, là, sous ses yeux... Il rasa la laine sur un espace large comme la main et, d'un seul geste, sans hésiter, incisa la peau. La brebis bêla de douleur et se débattit comme une furie. Une de ses pattes échappa et frappa l'air à quelques centimètres du visage de Baytar.

— Tiens-là, bon sang ! gueula-t-il.

Il appuya sur l'abcès. Un liquide épais et blanchâtre gicla sur les mains et les vêtements de Galshan. Elle poussa un cri de dégoût et lâcha tout. En un éclair, la brebis se releva et disparut au milieu du troupeau.

Baytar se releva en pestant.

— Pas eu le temps de nettoyer sa plaie, gronda-t-il. Si elle crève, ce sera de ta faute.

L'air buté, il s'éloigna sans même la regarder. Galshan sentit des larmes chaudes rouler sur ses joues et venir geler sur son col. Vieux cinglé ! Si elle avait eu plus de culot, elle lui aurait demandé comment il faisait quand elle n'était pas là.

Elle leva les yeux vers le ciel, dans l'espoir d'apercevoir le rapace. À voler si haut, et à voir si loin, il

47

était devenu comme un pont entre ici et chez elle, là-bas, très loin vers l'est, le long d'Ikhoiturüü. Peut-être même Daala pouvait-elle le voir de sa fenêtre... Alors elle lui parlait à mi-voix, persuadée que sa mère devait l'entendre.

Elle s'aperçut soudain que chaque fois qu'elle l'avait repéré dans le ciel de Tsagüng, elle était seule. Sans Baytar... Le vieux disparaissait, le rapace apparaissait. Le vieux apparaissait, le rapace dispa-raissait. Comme si sa seule présence suffisait à le faire fuir...

CHAPITRE 9

Plus de vingt jours que Galshan habitait Tsagüng. Elle aurait été incapable de dire si c'était très court ou très long. Par rapport aux cent cinquante-trois jours, c'était presque rien, et pourtant elle avait l'impression d'être ici depuis une éternité. Comme si elle y était née...

Chaque soir, avant de s'allonger sur sa paillasse, elle cochait une journée de plus sur son carnet et gardait quelques instants la petite pierre noire d'Istanbul au creux de sa main. « Tu verras, ma chérie, ça va passer bien plus vite que tu ne le penses... », lui avait murmuré Daala. Elle fermait les yeux et sentait alors sa présence, rassurante, chaleureuse.

Presque malgré elle, Galshan apprenait les gestes des bergers. Elle savait maintenant immobiliser une brebis et, du premier coup d'œil, repérer une bête trop faible ou boiteuse. Une fois qu'ils en avaient fini avec les bêtes, Baytar la laissait toujours repartir seule. Il esquissait un geste de la main et, suivi de ses chiens, s'engageait sur un raidillon à peine assez large pour les sabots de son cheval.

Une fois, une seule fois, Galshan voulut le suivre, il tourna alors vers elle la minuscule fente de ses yeux.

— Il y a déjà Huva et Huda, je n'ai pas besoin d'un troisième chien !

— Vieil imbécile ! lança-t-elle à voix basse, des larmes plein les yeux. Je suis ta petite-fille, pas ton chien !

Baytar l'avait entendue, elle en aurait mis sa main au feu.

Il passa l'arête de la colline et s'éloigna au milieu des saxaouls, sur le versant opposé. Le temps que Galshan rejoigne Tsagüng, et le rapace était dans le ciel. Il lança son cri, « Hiiik ! Hiiik ! » et monta en spirales de plus en plus larges, les ailes grandes ouvertes. Le vieux disparaissait, le rapace apparaissait... « Dis bonjour à ma mère, dis-lui que je pense à elle, très fort... », murmura Galshan en caressant l'encolure de Gris-de-Fer.

Un matin, peut-être qu'au lieu du sifflement du vent entre les herbes, elle entendrait le grondement de l'Ural sur la piste. Son père lui ferait trois appels de phare, elle lèverait les bras et la calandre fumante du camion viendrait s'arrêter à quelques centimètres de sa poitrine.

CHAPITRE 10

Vingt-septième jour.

Le ciel se couvrit brusquement en début d'après-midi. Les rafales du nord se chargèrent d'humidité et Baytar huma le vent comme un animal. « Il va neiger », assura-t-il.

Il tourna brusquement la tête vers la piste. Couvrant le sifflement du vent et le croassement des corbeaux qui se disputaient la charogne d'un petit rongeur, un autre bruit perçait, inhabituel. Un moteur ! Le sang de Galshan ne fit qu'un tour. Elle tendit l'oreille, pleine d'espoir. Mais ce petit bourdonnement de mouche n'avait rien à voir avec le grondement de l'Ural.

Un nuage de poussière s'élevait à l'horizon et se déplaçait à toute allure vers Tsagüng. Une moto en émergea. Une grosse moto russe...

— Ça, c'est un emmerdeur, fit simplement Baytar, les yeux mi-clos.

La moto s'arrêta, le type qui en descendit brossa la poussière de sa parka et, malgré le froid, la plia soigneusement sur le guidon. Avec sa cravate, ses petites lunettes d'écaille et son costume gris, il semblait perdu au milieu de la steppe et des moutons. Impossible de ne pas éclater de rire ! Baytar l'ignora.

L'homme se dandinait d'un pied sur l'autre en triturant sa casquette. Il finit par poser la main sur sa poitrine et s'inclina légèrement.

— Hylbang Dshjuguwaa, annonça-t-il, inspecteur du district scolaire...

Galshan eut un petit pincement au cœur.

— Ta petite-fille, continua-t-il en la montrant du doigt, est inscrite sur nos listes. Nous ne l'avons pas vue au collège depuis la rentrée et je suis étonné que tu ne l'envoies pas à l'école.

Baytar prit le temps de rouler une cigarette, il regarda Galshan du coin de l'œil et lui demanda à brûle-pourpoint.

— Tu sais lire ?

Elle ne put s'empêcher de sourire.

— Lire ? Mais voilà longtemps que je sais lire. J'ai même quelques livres ici, maman me les a offerts avant de partir, mais je n'ai pas encore trouvé le temps de les ouvrir.

— Bon... Et compter ? Tu sais aussi compter ?

— Évidemment !

— Et une brebis, tu saurais la traire ? demanda le vieux en lâchant un nuage de fumée.

— Pas encore très bien, je viens juste de commencer.

— Et si un loup s'attaquait à une bête de ton troupeau, tu saurais le piéger ?

— Un loup ! Galshan éclata de rire : Et puis quoi encore ?

Baytar tourna vers l'inspecteur son visage tout plissé de rides.

— Tu as entendu, Hylbang. Ce que tu veux lui apprendre, ma petite-fille le sait déjà. Alors que ce que j'ai, moi, à lui montrer est encore tout neuf pour elle. Si tu ajoutes à cela que je ne suis plus tout jeune et que personne ne peut prévoir le nombre de jours qu'il me reste à vivre, je pense qu'il est préférable qu'elle reste ici, à mes côtés... Et si tu ne veux pas conduire sous la neige, ajouta-t-il en montrant le ciel envahi de nuages, je te conseille de ne pas tarder... Je te souhaite un bon retour.

Et il tourna les talons.

— Mais Baytar, s'emporta l'homme, tu ne peux pas décider de cela, c'est impossible. Galshan doit aller au collège. C'est obligatoire !... Obligatoire !

Baytar était déjà loin. Sans même prendre la peine de le seller, il enfourcha son cheval et s'éloigna vers les collines.

CHAPITRE 11

L a neige tomba jusqu'aux dernières heures de la nuit, et, lorsque le jour pointa, glacé et clair comme du lait, elle était partout. Sur les herbes couchées, sur la toison des moutons, sur les collines... À perte de vue, il n'y avait qu'elle.

Le ciel se nettoya de ses derniers nuages et, tout au fond du vallon, Guruv Uul[1] apparut dans le soleil, brillant comme un miroir. Les yeux tournés vers le ciel très bleu, Baytar tira sur sa cigarette.

— Un beau temps pour voler...

— Qu'est-ce que tu as dit ?

— J'ai dit : « Un beau temps pour voler. »

— Ça veut dire quoi ?

— Ça veut dire qu'il est temps que je te montre ce que des imbéciles comme ce Hylbang Dshjuguwaa ignoreront toujours. Viens !

1. Montagne.

La sente était à peine tracée, raide et glissante de neige.

Les chevaux soufflaient comme des machines. Parfois, un sabot dérapait sur une pierre, ils se rattrapaient alors d'un coup de rein et repartaient, attentifs aux embûches. Les derniers buissons de saxaoul disparurent, il ne resta que le gris de la roche et le blanc de la neige. La sente grimpait toujours. Le froid sciait les visages et paralysait les lèvres. À aucun moment, Baytar ne se retourna pour voir si Galshan suivait. Il ne s'arrêta qu'à proximité d'un gros mur de pierre bâti par les bergers des siècles auparavant.

Tout proche, le sifflement d'un rapace perça le silence. Galshan sursauta. Elle chercha sa silhouette dans le ciel vide. L'oiseau n'était nulle part... Le sifflement reprit. À quelques pas d'elle. Juste derrière les rochers !

CHAPITRE 12

Attends-moi là ! souffla Baytar en se glissant entre les rochers.

Lorsqu'il réapparut, Galshan resta muette un long moment, trop abasourdie pour parler. L'aigle était devant elle, dressé sur le poing ganté du vieil homme. Elle le reconnut immédiatement : c'est lui qui volait chaque jour au-dessus de Tsagüng. Le regard de l'oiseau ne la quittait pas. Noir et or. Il lissa ses plumes fauves du bout du bec, redressa la tête et poussa un « Hiiik ! Hiiik ! » perçant.

Baytar délaça la lanière de cuir qui le retenait et leva le poing.

— Va ! Seigneur Khar ! Va ! murmura-t-il.

Dans une sorte de frisson, le rapace s'ébroua, laissa retomber ses plumes une à une et s'élança d'un seul essor. Ses ailes claquèrent dans l'air glacé. Il s'éloigna vers la paroi rocheuse, la frôlant presque.

— Khar cherche les courants qui montent, souffla Baytar. Il les trouve près de la roche, là où le soleil chauffe le plus. Tiens ! Regarde !...

Les ailes largement déployées, Khar s'élevait maintenant à toute allure. En quelques secondes, il rapetissa jusqu'à n'être plus qu'un point noir, à peine visible au milieu du ciel.

Galshan ne sentait plus le froid. Les yeux rivés sur l'aigle, elle était avec lui, en plein essor, à survoler les vallées et les montagnes et à guetter les moindres mouvements d'en bas. Avec lui, elle imaginait sa mère allongée sur son lit, là-bas, les mains posées sur son ventre, à sentir le bébé. Ou peut-être en train de lire...

Khar replia soudain ses ailes et se laissa tomber comme une pierre derrière une barre rocheuse. Galshan poussa un cri affolé et se précipita, mais Baytar la retint d'un geste et, presque aussitôt, l'aigle reparut, une boule de poils inerte entre les serres. Il se posa sur un rocher, examina attentivement les alentours et plongea son bec dans la chair tiède et sanguinolente du lapereau qu'il venait de tuer.

*

La fonte du poêle était si chaude qu'elle en était rouge. Presque douloureuse, la chaleur fourmillait au bout des doigts de Galshan et remontait par bouffées le long de ses bras tendus. Le thé bouillant fumait dans les bols de fer tout cabossés.

— Tu sais, Attas[1], j'ai repéré le seigneur Khar dès le premier jour. Quand je le vois dans le ciel, c'est comme si j'étais là-haut avec lui, à planer avec ses ailes, à voir avec ses yeux...

Baytar prit le temps de rouler une cigarette et l'alluma à une petite braise qu'il saisit à même le poêle, entre le pouce et l'index. Jamais encore Galshan ne l'avait appelé « Attas » et une minuscule étincelle pétillait dans son regard.

— Lorsque j'ai capturé mon premier aigle, lâcha-t-il en soufflant la fumée, mon père m'a aidé à l'affaiter[2]. Il s'y connaissait bien et tous les jours, il le faisait voler avec moi. Mais un matin, l'aigle est parti si loin qu'il l'a cru perdu. Moi, je regardais le ciel. Je n'avais pas peur. Je savais exactement où il était, comme si j'avais plané avec ses ailes, comme si j'avais vu avec ses yeux... Lorsqu'il est enfin revenu, plus d'une heure après, mon père m'a dit que pendant tout ce temps, j'avais plus ressemblé à un rapace dans le ciel qu'à un humain sur la terre... Il y avait de la jalousie dans sa voix. Je savais voler avec les aigles ! C'est une sensation que personne

1. Grand-père.
2. Dresser un oiseau de proie.

ne peut expliquer, le privilège de quelques-uns. Et tu en fais partie, Galshan. Ryham n'a pas eu cette chance. Quand il avait ton âge et que je l'emmenais avec moi, il n'y voyait qu'une simple chasse, rien de plus...

Baytar but une gorgée de thé bouillant.

— Mais chez nous, reprit-il, les aigles ont toujours été une affaire d'hommes. Les femmes n'ont même pas le droit d'y toucher... Je suis peut-être le dernier à savoir les dresser, et le Seigneur Khar sera mon dernier aigle.

Son regard croisa celui de Galshan. Il entrouvrit la porte. Dehors, le vent coupait comme une lame. Il resta un moment à finir sa cigarette, debout dans l'air glacial.

CHAPITRE 13

Emmitouflée jusqu'aux oreilles, Galshan chevauchait aux côtés de Baytar. Le givre cristallisait sur leurs cagoules de fourrure et de longues stalactites de glace pendaient jusque sous le ventre des chevaux. De temps à autre, le vieil homme observait le ciel, vide et blanc jusqu'à l'horizon.

Ils ne firent halte qu'au bout de plusieurs heures. Les chiens gémissaient de froid et Galshan ne sentait plus son visage, ni ses jambes, ni ses mains... Avec son couteau, Baytar râcla de la neige et la mit à fondre sur un minuscule réchaud à pétrole pour faire le thé. Prisonnier du gel, le torrent vibrait sous leurs pieds. À travers la glace transparente comme du verre, on pouvait apercevoir l'eau entraîner à toute allure des paquets de branches mortes vers la vallée.

Une tasse de thé bouillant, un morceau de gurud[1], et les cavaliers repartirent. Le froid brûlait Galshan comme une braise et chaque geste était une douleur. Elle en aurait pleuré, mais Baytar la prévint :

— Ne pleure pas, tes cils gèleraient sur tes yeux.

Il n'ajouta rien. Ni sur ce qu'ils allaient faire, ni où ils allaient, ni sur ce que contenait cette boîte protégée d'une peau de mouton qu'il portait sur sa selle.

Son silence dura jusqu'au soir. Galshan était exténuée et le gel la mordait au travers de ses vêtements comme un animal enragé. Baytar alluma un feu de saxaoul dans lequel il jeta cinq ou six gros galets ronds et monta en quelques minutes une minuscule tente à l'abri d'un rocher. Sur le sol, entre les peaux de mouton, il ménagea un petit espace circulaire sur lequel il posa les galets brûlants. En quelques minutes, la chaleur envahit la tente et Galshan dut ôter son deel[2] avant de s'endormir, brisée de fatigue, sur une grosse couverture de feutre.

*

Au matin, lorsqu'ils repartirent, le froid coupait comme du verre. Galshan se demanda si Baytar

1. Fromage sec.
2. Épais manteau doublé d'agneau retourné.

n'avait pas perdu la tête, à s'éloigner autant de Tsagüng par ce temps. Les chiens ankylosés s'ébrouèrent en bâillant de faim. Tête baissée, les chevaux progressaient pas à pas dans un désert de glace et de roche. En moins d'une heure, le froid traversa le cuir des bottes et des moufles de Galshan et la douleur ressurgit. Encore plus insupportable que la veille. Ne pas pleurer. Surtout, ne pas pleurer !

Soudain, le vieil homme leva le doigt vers le ciel. Là-haut, à peine gros comme un ongle, un aigle tournait...

— Il a faim, souffla-t-il. Avec ce gel, ses proies habituelles ne sortent plus. Ça doit faire au moins trois jours qu'il n'a pas tué ! Mais moi, j'ai ce qu'il lui faut...

Avec mille précautions, il entrouvrit la boîte qu'il portait sur sa selle.

— Regarde... Voilà le repas du seigneur aigle !

Un pigeon ! Ébloui par la lumière du jour, l'oiseau clignait des yeux dans le soleil.

— Tiens-le comme ça, Galshan, les ailes bien plaquées le long du corps.

La voix de Baytar vibrait d'excitation. Il sortit de son sac un petit capuchon de cuir dont il aveugla l'oiseau. Puis il l'attacha par la patte à une longue cordelette sur laquelle il fixa une série de nœuds coulants. D'un coup d'œil, il s'assura que l'aigle était toujours là et plaça le pigeon dans un endroit bien dégagé.

— On va attendre ici, fit-il en déroulant la lanière jusqu'à un gros rocher. Interdiction de bouger !

Là-haut, l'aigle planait en larges cercles. Baytar tira doucement sur la cordelette ; déséquilibré, le pigeon battit des ailes. Galshan oublia aussitôt le froid et la douleur, elle ne pensait plus qu'à l'aigle, à sa faim et à cette proie si tentante... Il ne semblait pourtant pas se décider, presque immobile dans le ciel. Baytar tira plus sèchement, le pigeon aveuglé tenta de s'envoler et retomba lourdement au sol. Quelque chose changea soudain dans le vol du rapace. Il ralentit son vol et resserra ses cercles : il avait repéré l'appât. Il hésitait encore, sans doute avait-il également aperçu Galshan et Baytar... Il fondit brusquement en un piqué vertigineux, les serres écartées. Ses ailes s'ouvrirent au dernier moment pour se freiner, il heurta le pigeon de plein fouet, remonta en chandelle de plusieurs mètres et repiqua sur sa proie avec un cri.

La main serrée sur la lanière, Baytar n'avait pas bougé. Là-bas, une patte sur sa proie, l'aigle inspectait les environs. Son œil se posait successivement sur tout ce qui l'entourait, comme pour s'assurer qu'il n'avait rien à craindre. Ce n'est qu'au bout de plusieurs minutes qu'il se pencha sur le pigeon. Du bout du bec, il lui ôta quelques plumes et plongea au cœur de sa poitrine encore palpitante.

Baytar posa la main de Galshan sur la cordelette. Elle vibrait imperceptiblement. L'aigle avait une patte prise dans un nœud mais, tout à son repas, il ne s'en était pas encore aperçu. Baytar le laissa encore se goinfrer de chair, avant d'avancer à petits pas vers lui. L'aigle s'arrêta, le regarda, mais l'attrait de la viande était plus fort et, de nouveau, il enfouit son bec dans le ventre du pigeon. Baytar s'approcha encore. Le rapace continuait son repas comme si de rien n'était. Ce n'est pas un petit humain pataud qui allait l'inquiéter. Encore quelques pas... Le vieil homme était si proche maintenant que l'aigle ne pouvait plus l'ignorer. La cordelette se tendit, le nœud se resserra insensiblement autour de sa patte. Vaguement gêné, le rapace hésita, un reste sanguinolent au bout du bec. Au moment où il s'envolait, Baytar bondit, plaqua ses ailes contre ses flancs et lui saisit les pattes de sa main libre. L'oiseau poussa un cri perçant, le bec grand ouvert, prêt à l'attaque.

— Galshan, haleta Baytar, vite ! Le chaperon[1] ! Passe-lui doucement... Là... Voilà... Comme ça...

L'aigle aveuglé referma lentement son bec, la main de Galshan effleura son plumage, elle huma son odeur.

1. Petite cagoule de cuir que les fauconniers passent sur la tête des oiseaux pour les aveugler.

— Voilà ton aigle, Galshan. C'est avec toi qu'il va voler maintenant...

Elle tremblait de tous ses membres, les larmes envahirent ses yeux.

— Ne pleure surtout pas ! s'alarma Baytar. Tes cils !... Comment vas-tu l'appeler ?

Elle aurait voulu rire aussi, mais ses lèvres restaient prises par le froid. Elle peina à articuler :

— Kudaj[1]. Seigneur Kudaj.

1. Ciel.

CHAPITRE 14

Trente-quatrième jour.
Depuis sa capture, deux jours auparavant,
l'aigle n'avait pas revu la lumière. Il était
resté à l'attache, la tête couverte du chaperon. Frémissant au moindre bruit, il avait dû se faire aux
aboiements des chiens, aux bêlements des moutons et à la voix de Galshan qui, sur les conseils de
Baytar, venait le voir presque toutes les heures.
« Tu seras la seule à lui parler, il ne doit connaître
que toi. »

Avec des gestes très calmes, elle le décapu-
chonna. Elle avait attendu que le jour baisse pour
ne pas l'éblouir. L'oiseau cligna pourtant des yeux
dans la lumière grise, aveuglé par la neige. Il ébroua
ses plumes et les gonfla jusqu'à paraître deux fois
plus gros qu'il n'était. Puis il étendit ses ailes
comme pour prendre son essor, mais la courte

créance[1] qui le retenait l'empêcha de poursuivre son geste.

Devant lui, Galshan tenait au creux de son gant un petit passereau mort. Baytar lui avait montré à les piéger avec de la glu.

— Il a faim, avait-il dit le matin. S'il accepte aujourd'hui de manger dans ton poing, c'est gagné. Sinon, il faudra le relâcher.

Le relâcher... Galshan n'osait même pas y penser !

— Mange, seigneur Kudaj, le supplia-t-elle doucement, le bras tendu.

Comme s'il avait reconnu sa voix, le rapace pencha la tête. Il resta un long moment immobile, l'œil rivé sur l'horizon, comme s'il se désintéressait de la situation. De loin, Baytar fit signe à Galshan de faire un peu bouger le passereau. Elle remua imperceptiblement la main et la petite tête de l'oiseau dodelina de gauche à droite. Soudain attentif, Kudaj tordit légèrement le cou pour mieux voir. La petite proie prisonnière du gant devait être bien tentante, mais il hésitait encore entre la faim et la crainte. Tout son instinct lui dictait de se méfier. Chaque situation inconnue pouvait receler un piège... Il leva lentement sa patte libre et la laissa en suspens au-dessus du gant. Galshan retint son souffle. La patte s'abaissa et enserra délicatement l'oiseau. Pendant

1. Cordelette qui retient le rapace.

une éternité, rien ne se passa. Puis les serres se refermèrent, le bec de l'aigle plongea vers le bas et, d'un coup sec, il écrasa la colonne vertébrale de sa proie. Une minuscule goutte de sang se figea dans le froid.

Galshan ne bougeait pas, inondée de bonheur. L'aigle s'installa sur son bras, moins lourd qu'elle ne l'imaginait. Il déchiqueta de petits lambeaux de viande, fouillant jusqu'au creux de sa main pour n'en rien laisser. Elle sentait toute la puissance de son bec contre sa paume. Elle jeta un rapide coup d'œil vers Baytar, mais le vieux s'était déjà éclipsé. « Il ne doit connaître que toi... »

Elle lui remit son capuchon et resta avec Kudaj jusqu'à la nuit, à lui parler de Daala et du bébé, de Ryham et de son camion, d'Aïbora...

— Et puis bientôt tu voleras... comme avant. Je te le promets, seigneur Kudaj.

L'aigle restait immobile, calme, les ailes légèrement pendantes, comme s'il savait qu'il n'avait rien à craindre.

Lorsqu'elle revint au campement, Baytar était assis sous la lampe à pétrole. Il avait ouvert sur ses genoux un des livres de Daala et marmonnait, les yeux plissés, le doigt sur les lignes.

— Attas ! Mais je croyais que tu ne savais pas lire !

Le visage de Baytar se fronça et il hocha la tête.

— Oui... Je me suis dit qu'il suffisait peut-être d'ouvrir un livre pour que tous ces petits signes me racontent leurs histoires. Mais ça ne marche pas... Les mots ne veulent pas sortir de ton livre.

— Il faut d'abord que tu apprennes à lire !

— Mais celui-là, par exemple, de quoi parle-t-il ?

— Je ne sais pas encore... C'est un livre que maman aime beaucoup. Il s'appelle *Le vieil homme et la mer*[1].

— *Le vieil homme et la mer*, répéta pensivement Baytar. Tu veux dire que si je lis ce livre, je saurai à quoi ressemble la mer ?

— Peut-être... Mais avec les mots, ce n'est jamais tout à fait pour de vrai.

— Je t'ai regardée tout à l'heure, tu t'es bien débrouillée avec le seigneur Kudaj. Tu as fait exactement comme je t'ai montré. Peut-être que si tu me montrais les mots, j'arriverais à lire, moi aussi...

1. Ernest Hemingway, *Le vieil homme et la mer*, Traduction de Jean Dutourd, © Éditions Gallimard.

CHAPITRE 15

Galshan et Baytar laissèrent leurs chevaux se reposer au fond du vallon. Les bêtes humèrent le sol dans l'espoir de retrouver la source prisonnière de la neige, mais elles durent se contenter de mâchonner les rares herbes recouvertes d'une gangue de gel.

Désormais, Kudaj accompagnait Galshan à cheval. Un exercice d'équilibre redoutable pour l'aigle qui, les premières fois, avait éperdument battu des ailes à chacun des mouvements de Gris-de-Fer, les griffes profondément incrustées dans le pommeau de la selle. Mais quelques jours avaient suffi à ce qu'il s'habitue au rythme du cheval. Il savait maintenant trouver le bon aplomb et amortir les cahots de la marche.

— Le seigneur Kudaj apprend vite, constata Baytar. Demain, tu pourras le faire voler. Il faudrait que...

— Écoute ! interrompit Galshan.

Le bruit d'un moteur couvrait le sifflement du vent. Baytar et Galshan restèrent aux aguets. Le grondement se rapprocha.

— L'Ural ! s'écria-t-elle. C'est l'Ural, c'est papa !

Et elle lança Gris-de-Fer au trot. Déséquilibré, Kudaj écarta aussitôt les ailes, il tenta un bref instant de se redresser avant de basculer de nouveau vers l'avant, le cou tendu, les plumes de la queue largement étalées.

— Doucement, Galshan, lui brailla Baytar, tu vas l'affoler !

Elle l'entendit à peine mais posa la main sur le plumage de l'aigle pour le calmer. Il battait des ailes d'un air effaré, incapable de retrouver son aplomb. Au loin, un nuage de fumée signalait le camion sur la piste verglacée.

Galshan arriva au campement presque en même temps que l'Ural. Dressé sur le pommeau de la selle, Kudaj avait les plumes toutes hérissées d'inquiétude. Le mufle du camion ruisselait de stalactites noires, son pare-brise disparaissait sous une épaisse couche de boue grisâtre, comme après une longue route dans le froid et la neige. Galshan s'apprêta à lever les bras, mais rien ne se passa. Ni coups de trompe, ni appels de phares !...

L'Ural freina, les énormes chaînes des pneus mordirent la neige mais c'est à peine si Ryham jeta un regard vers sa fille. Il sauta à terre et aida un passager à descendre. L'homme secoua machinalement la poussière de sa parka et resserra le nœud de sa cravate enfoui sous plusieurs couches de pulls. Hylbang Dshjuguwaa !

Baytar regarda son fils s'avancer vers lui à grandes enjambées tandis que l'inspecteur du district scolaire s'inclinait, un léger sourire aux lèvres.

— Baytar, commença Ryham, je sors du collège. Il paraît que Galshan n'y a pas mis les pieds une seule fois depuis qu'elle est ici. Tu peux m'expliquer ?...

Le vieux roula tranquillement une cigarette qu'il alluma en protégeant de la main son briquet à amadou. Il souffla un nuage de fumée, et toutes ses rides se plissèrent.

— Bonjour Ryham, as-tu fait bon voyage ?

Il avait employé l'ancienne expression : « As-tu bien chevauché ? »

— Pourquoi Galshan est-elle ici, s'entêta Ryham, avec toi, au lieu d'être au collège ?

— Depuis sa naissance, je n'ai pas vu ta fille plus de trois ou quatre fois. Je me trompe ?

— Il ne s'agit absolument pas de ça !

— Laisse-moi parler ! Depuis sa naissance, Galshan a dû aller à l'école beaucoup plus de jours que je n'ai de moutons sur le plateau. Elle sait lire, compte mieux que moi et nous n'avons que cent cinquante-trois jours à passer ensemble. Laisse-les-nous, Ryham... Laisse-nous ces journées ! Plus tard, ce sera trop tard. Jamais plus je n'aurai l'occasion de lui apprendre le peu que sait un vieux berger comme moi.

— Bien sûr, fit Ryham, mal à l'aise, mais tu peux lui montrer tout cela le soir, ou les jours où il n'y a pas école...

Baytar secoua la tête et désigna l'aigle, toujours dressé sur la selle de Gris-de-Fer.

— Le seigneur Kudaj n'attendra pas le soir ou les jours sans école pour voler.

Les yeux écarquillés, Ryham s'approcha de Kudaj. Il ne l'avait pas encore remarqué. Il tendit la main vers lui, mais Galshan le retint. « Seul le dresseur touche son oiseau ».

— Un aigle !... Tu montres à Galshan comment faire voler les aigles !

— Oui, et elle est très douée. Elle et Kudaj forment déjà une sacrée paire ! Voilà à peine dix jours que nous l'avons capturé et elle le fera voler demain pour la première fois... Si tu restes un peu avec nous, tu verras ce que ta fille sait faire avec le seigneur aigle.

Hylbang Dshjuguwaa s'approcha à son tour, l'air effaré :

— Mais Baytar, nous ne sommes plus au Moyen Âge ! Nous sommes des milliers à tenter de moderniser ce pays, à tout faire pour que des jeunes de l'âge de Galshan puissent devenir ingénieurs, médecins, informaticiens. Nous aurons bientôt un ordinateur au collège et toi, tu... tu lui montres comment faire voler un aigle ! Mais est-ce que tu comprends seulement que ces vieilleries ne lui serviront jamais à rien ? Elle perd un temps précieux avec ces sottises ! C'est maintenant, c'est à son âge qu'elle doit apprendre ! Dis-lui, Ryham ! Dis-lui, bon sang ! C'est ton père, c'est ta fille...

Ryham restait silencieux, Galshan glissa sa main dans la sienne.

— Je vais te raccompagner avant la nuit, Hylbang, finit-il par dire.

— Mais... tu laisses faire ? Tu ne dis rien ? s'étrangla l'inspecteur.

— Si, je dis que je vais te raccompagner.

— Je vais faire un rapport aux autorités, Ryham ! Je te préviens. Aigle ou pas, il y a une loi et les enfants de ce pays doivent aller à l'école ! Qu'un vieux fou comme ton père n'en fasse qu'à sa tête, passe encore, mais toi !

Ryham l'empoigna par le bras et l'entraîna vers l'Ural.

— Traite encore une fois mon père de vieux fou, et tu rentres à pied ! Je me suis laissé dire qu'avec

ce froid, les loups seront bientôt de retour au pays...
Ils sont affamés !

*

Lorsque Ryham revint, le vent s'était levé. Il sourit en retrouvant l'atmosphère presque trop chaude de la ger. Rien n'avait changé depuis son enfance. Seule sa mère manquait. Elle était morte quelques hivers auparavant et reposait maintenant sous un cairn[1] de pierres plates, au pied de la montagne. À chaque rafale, les flammes du poêle s'affolaient et les ombres dansaient.

Dans la pénombre, Baytar tendit à Galshan un petit objet que, tout d'abord, Ryham distingua mal... Il se frotta les yeux. Un livre ! C'était un livre !

— Tu peux me lire la suite de l'histoire du vieil homme ?

Ryham resta stupéfait. Que son père outrepasse les traditions et montre à Galshan comment faire voler les aigles, c'était déjà une révolution, mais qu'il lui demande de lire une histoire ! Elle s'assit sous la lampe à pétrole et commença :

— « *Passé les limites du port, on se dispersa et chacun se dirigea vers le coin d'océan où il espérait trouver du poisson...* »

1. Petite pyramide de pierres qui, en montagne, sert à se repérer ou à signaler un endroit particulier.

Aucun d'eux n'avait jamais vu « l'océan », et tous ces mots semblaient bizarres. Tassé dans un coin, Baytar ferma les yeux. Il s'endort, pensa Ryham.

— « *En face de lui,* continua Galshan, *un aigle de mer aux longues ailes noires traçait des cercles dans le ciel...* »

Le vieil homme sursauta.

— Un aigle ! Ils ont aussi des aigles, là-bas !...

Un aigle de mer... À quoi pouvait bien ressembler un aigle de mer ?

Galshan arrêta sa lecture au moment où le vieux pense tenir un gros poisson au bout de sa ligne, et chacun resta à rêver de ce pays étrange où l'eau semblait plus présente que la terre.

Ryham enfourna une branche de saxaoul dans le poêle et se tourna à demi vers son père.

— Pourquoi ne m'as-tu jamais montré, à moi, comment faire voler les aigles ?

Un long ronflement lui répondit. Baytar s'était endormi.

« Tête de mule ! Il fait semblant », se dit Ryham.

CHAPITRE 16

Derrière Guruv Uul, le soleil était aussi verglacé que la neige.

De loin, Baytar et Ryham observaient en silence l'aigle dressé sur le poing de Galshan. Avec des mouvements très doux, elle lui ôta son chaperon et, d'un léger coup de poignet, l'obligea à se percher sur une pierre. Elle fixa ensuite un petit passereau encore tiède à une lanière de cuir.

Elle fit rapidement tourner ce leurre au-dessus de sa tête et, d'un coup, le lâcha. Tous ses muscles bandés, Kudaj avait attentivement suivi chacun de ses gestes. À peine le passereau eut-il touché la neige qu'il frémit et s'élança sans une seconde d'hésitation. Derrière lui, la créance se dévida à toute allure. En quelques coups d'ailes, il plongea sur l'oiseau avec la même voracité que s'il s'agissait d'une proie vive.

L'air farouche, le bec ensanglanté, il releva la tête et observa les alentours du coin de l'œil. Galshan s'accroupit pour le regarder manger. Il termina sa proie et, du bout du bec, lissa ses plumes. Parfaitement immobile, Galshan lui laissa le temps de finir sa toilette, puis elle tendit le poing vers lui en agitant un petit morceau de foie et siffla d'un coup sec. Kudaj poussa un vigoureux « Hiiik ! », s'élança et, les ailes grandes ouvertes, revint se poser en douceur sur son gant. Il se frotta le bec du bout des griffes et arracha le morceau de viande de ses doigts.

Pour la première fois depuis sa capture, Kudaj venait de voler.

Galshan jeta un rapide coup d'œil vers son père et lui sourit. Ryham se sentait étrangement fier de sa fille. À côté de lui, Baytar roulait une cigarette comme si de rien n'était.

Là-bas, Galshan promenait le seigneur Kudaj au poing et lui parlait à mi-voix.

CHAPITRE 17

Seigneur Kudaj volait chaque jour de plus en plus loin et savait maintenant revenir au leurre. Galshan faisait tournoyer la petite proie morte, l'aigle fondait dessus à pleine puissance et la saisissait entre ses serres avant même qu'elle ne touche le sol. Avec une habileté surprenante, il s'était habitué à des créances de plus en plus longues, mais, depuis quelque temps, elles le gênaient et, plus d'une fois, il s'était trouvé en déséquilibre à cause d'elles.

— Demain, tu le mettras sur l'aile, annonça Baytar un soir en tisonnant le poêle.

« Le mettre sur l'aile ! » La main de Galshan se referma sur la petite pierre d'Istanbul, son cœur tambourinait au creux de sa poitrine. Mettre Kudaj sur l'aile, ça signifiait le laisser voler seul, sans aucune attache. L'aigle serait alors libre, libre de partir au loin, libre de retrouver sa vie sauvage...

Baytar s'installa auprès du poêle pour écouter la suite du *Vieil homme et la mer*.

— « *Tout le monde a sa chance : les hommes, les oiseaux, les poissons...* »

Galshan s'arrêta bientôt. Ils avaient tous les deux la tête ailleurs. À la lueur des braises, elle cocha le cinquante-neuvième jour sur son carnet et murmura le nom de Daala. Dehors, l'obscurité était cassante comme du verre.

À plusieurs reprises au cours de la nuit, Galshan se redressa, inondée de sueur malgré le froid. Le même cauchemar la harcelait. Elle dénouait la créance qui retenait le seigneur Kudaj, celui-ci prenait aussitôt son essor et s'envolait. Elle le regardait s'éloigner dans le ciel blanc de froid, il rapetissait de plus en plus, jusqu'à devenir minuscule, presque invisible. Puis il disparaissait à jamais et, au même moment, tout là-bas, le long d'Ikhoiturüü, le ventre de Daala redevenait subitement tout plat. Aussi plat que si elle n'avait jamais attendu de bébé.

Le jour pointait tout juste lorsque le silence tira Galshan de son mauvais sommeil. Baytar était parti mais, bien en évidence, il avait posé au pied de sa paillasse le leurre destiné à rappeler Kudaj.

Dès que Galshan ôta le chaperon qui lui couvrait la tête, Kudaj se redressa, il ébouriffa ses plumes et lança un « Hiiik » sonore, comme s'il sentait déjà que cette journée ne ressemblerait à aucune autre.

Galshan lui effleura le plumage et, les doigts tremblants, dénoua les jets[1] de cuir qui le retenaient. Le seigneur Kudaj était libre. Elle s'éloigna à reculons, les yeux embués de larmes. L'aigle resta un instant immobile et, d'un coup, prit son essor. Ses ailes claquèrent dans l'air glacial et, en quelques battements, il s'éleva bien plus haut qu'il ne l'avait jamais fait depuis sa capture. Il passa au-dessus de Galshan, et fila droit vers Guruv Uul, le bec tourné dans la direction du pâle soleil d'hiver. Galshan le regarda s'éloigner dans le ciel blanc de froid, il rapetissa de plus en plus, jusqu'à devenir minuscule, presque invisible. Puis il disparut.

Elle éclata en sanglots.

— Kudaj, hurla-t-elle, Kudaj !

Sa voix heurta le fond du vallon. *Daj... daj... daj...*

L'aigle restait invisible.

Elle siffla en faisant frénétiquement tournoyer le leurre que Baytar avait préparé. Il retomba sur la terre glacée. Le ciel restait vide.

Galshan se laissa tomber à genoux et se recroquevilla à même le sol durci par le froid. Kudaj avait repris sa liberté !

Mais, soudain, l'air vibra juste au-dessus d'elle. Les ailes largement déployées, l'aigle se laissa glisser en douceur jusqu'au leurre qui roulait encore

1. Liens qui retiennent un rapace à son perchoir.

sur le sol. Il s'y attaqua avec le même appétit que les jours précédents. Les joues glacées de larmes, se mordant les lèvres pour ne pas éclater de joie, elle le laissa tranquillement finir sa proie avant de lui proposer au poing un peu de cœur. D'un seul élan, Kudaj sauta sur le gant et s'attaqua à ce morceau de choix.

Très haut, le seigneur Khar virait en larges cercles au-dessus de Tsagüng, comme pour saluer Kudaj.

*

Dans les jours qui suivirent, Kudaj vola en liberté dès que le temps y était favorable. Il s'élevait en quelques coups d'ailes puissants, se laissait porter par les courants ascendants et filait si haut et si loin qu'à chaque fois, Galshan le perdait de vue. Mais elle avait maintenant pleinement confiance. Les yeux mi-clos, elle goûtait à l'ivresse de son vol, frémissait au contact glacé de l'air, elle planait avec lui à l'aplomb des montagnes et des vallées, se laissant à chaque fois porter jusqu'au-dessus d'Ikhoiturüü...

Puis elle le rappelait et le regardait plonger vers le leurre avec un « Hiiik ! » de plaisir tandis que Baytar les observait.

Kudaj était prêt pour la chasse.

CHAPITRE 18

Soixante et onzième jour.

Hylbang Dshjuguwaa avait dû quitter la ville très tôt pour arriver à Tsagüng avant le lever du jour. Les longues rafales qui balayaient la vallée se chargeaient peu à peu de minuscules flocons de neige, aigus comme des aiguilles, et l'inspecteur du district scolaire vibrait de froid. Il coupa le contact de sa moto d'une main tremblante et s'inclina en silence devant Baytar, les lèvres soudées par le gel.

Le vieil homme lui glissa entre les moufles un gobelet de thé très noir, et attendit en silence que le fonctionnaire dégèle. Secoué par d'interminables vagues de frissons, Hylbang se colla contre le poêle et, le visage au-dessus de la boisson bouillante, laissa la chaleur lentement renaître en lui.

Il finit par ôter une de ses moufles avec une grimace de douleur et tendit solennellement à Baytar une enveloppe cachetée.

— Qu'est-ce que c'est que ça ? demanda le vieux en l'acceptant du bout des doigts.

— Une mise en demeure.

— Je ne sais pas ce que ça veut dire.

— Tu n'as qu'à la lire.

— Je ne sais pas lire !

— Demande à ta petite-fille.

— À qui cette lettre est-elle adressée ?

— À toi.

— Alors ce n'est pas à elle de la lire.

— Veux-tu que je le fasse ? demanda Hylbang avec un soupir exaspéré.

Baytar haussa les épaules comme si tout cela ne le concernait pas. D'un geste malhabile, l'inspecteur décacheta l'enveloppe et en tira une feuille couverte de tampons et de signatures.

Monsieur le commissaire principal du Ve district à Baytar Baatar.

À la demande de Hylbang Dshjuguwaa, inspecteur du Ve district scolaire, et en application des articles 5, 6 et 7 du Code de l'éducation, Baytar Baatar, berger, est mis en demeure de présenter dès aujourd'hui sa petite-fille Galshan Baatar en troisième classe du collège du même district. Faute d'exécution immédiate de la présente mise en demeure, je me verrais dans l'obligation de faire intervenir les forces de l'ordre afin d'en assurer l'exécution.

Baytar tira de sa poche sa blague à tabac et roula une cigarette.

— Habille-toi chaudement, Galshan, ordonna Hylbang, je t'emmène tout de suite au collège avec moi. Tu reverras ton grand-père ce soir.

— Il s'agit d'un papier officiel ? demanda Baytar.

— Tout ce qu'il y a de plus officiel, fit le responsable en tendant la feuille au vieil homme, tous les tampons y sont. Je peux te reprendre un peu de thé ?

— Sers-toi autant que tu veux, les voyageurs sont ici chez eux.

— Je ne vois aucun tampon officiel, moi, ajouta Baytar au bout d'un moment.

Le responsable du Ve district scolaire se retourna. Dans le poêle, la mise en demeure achevait de se consumer dans une large flamme orangée.

— Ce que tu viens de faire est stupide, siffla Hylbang entre ses dents, demain matin, les hommes du commissaire principal viendront chercher ta petite-fille, et ce n'est pas en brûlant ce papier que tu pourras y échapper !

— As-tu fait attention à la neige de ce matin, Hylbang ?

— Je ne comprends pas ta question.

— Elle est pourtant simple. As-tu observé la neige qui tombe ce matin ?

— Pas particulièrement. Pourquoi ?

— N'as-tu pas remarqué comment ses flocons étaient fins, découpés et aigus comme de minuscules rameaux de saxaoul...

— Et alors ?

— Alors c'est un signe qui ne trompe pas. Dans quelques heures, le Djout va s'abattre sur la région. Le vent du nord qui va se lever sera terrible. Il fera encore plus froid qu'aujourd'hui, plus froid peut-être que tu n'as jamais connu depuis ta naissance ! Ni toi, ni moi, ni ton commissaire principal n'auront envie de se risquer sur les pistes par un temps pareil.

Hylbang éclata de rire.

— Décidément, Baytar, tu es d'un autre siècle ! J'ai écouté la météo hier soir, rien de tel n'est prévu. Et crois-moi, ils ont des moyens autrement plus perfectionnés que les tiens !

Les yeux de Baytar se plissèrent doucement.

— Peut-être... Peut-être aussi que ta météo n'a pas observé que les marmottes et les souris se sont terrées bien tôt, cette année. Peut-être n'a-t-elle pas bien observé non plus les flocons des dernières neiges... Les anciens m'ont appris cela, Hylbang. Crois-moi...

CHAPITRE 19

C omme chaque soir, Baytar écoutait Galshan
lire *Le vieil homme et la mer* :
« *Les nuages s'accumulant à l'est masquaient
l'une après l'autre toutes les étoiles que le vieux
connaissait... Le vent était tombé.*

— *C'est du mauvais temps qui se prépare pour
dans trois ou quatre jours, dit-il. Mais pas pour cette
nuit. Ni pour demain...* »

Baytar secoua la tête et but une gorgée de thé
noir.

— Ton livre se trompe, Galshan, le mauvais
temps sera pour cette nuit.

— Mais Attas, c'est dans l'histoire que ça se
passe, pas en vrai...

— Histoire ou pas, je te dis, moi, que ton livre se
trompe !

Et il sortit s'assurer que les attaches de la ger
étaient bien ancrées dans le sol.

*

Le vent forcit brusquement vers le milieu de la nuit et, en quelques minutes, la tempête déferla sur Tsagüng avec une brutalité effarante. L'obscurité explosait sous les coups répétés de rafales toujours plus âpres, toujours plus glaciales. Les cristaux de glace et de neige mêlés crépitaient sur la toile. Galshan et Baytar se dressèrent sur leurs paillasses.

Dehors, le vent fourrageait dans le vallon et hurlait comme une meute. Les oreilles basses, les chiens s'abritèrent, dos au blizzard. La neige les recouvrit en quelques instants. Plus violente encore que les autres, une bourrasque heurta le campement de plein fouet. Les montants craquèrent, prêts à se briser.

— Le Davkhar Djout, murmura Baytar, les dents serrées. Nous allons souffrir...

Davkhar Djout, la Mort Blanche !

Malgré le poêle bourré jusqu'à la gueule, la température avait brutalement chuté sous la ger. Un froid de loup s'y insinuait jusque par les moindres fentes. À plusieurs reprises, Baytar se leva pour colmater les fissures avec de grosses poignées de laine. Mais tout semblait inutile et, inexorablement, le feutre se recouvrait d'une pellicule de glace translucide, lisse et dure comme du verre. Vers la fin de la nuit, après avoir rechargé le feu, il s'approcha de Galshan et resta un long moment à la regarder tandis qu'au-dehors le vent piaulait. Elle ne dormait pas et sentit ses doigts rugueux écarter doucement une mèche de son front. Le premier geste tendre de Baytar depuis son arrivée. Il remonta les couvertures de feutre sur ses épaules et s'éloigna en maugréant quelques mots que le vent balaya.

Le jour se leva sans que Galshan s'en aperçût – le ciel lui-même avait disparu dans la tourmente blanche – et Baytar enfourna dans le poêle la dernière branche de saxaoul. En quelques heures, toute la provision de bois y était passée sans donner autre chose qu'une illusion de chaleur.

Dehors, le blizzard forcit encore, comme s'il devait ne jamais finir.

— Je reviens, gronda Baytar, surtout ne sors pas !

Il entrouvrit la porte. Une violente bourrasque s'engouffra sous la ger dans un cahot de glace et de neige mêlées, les chiens en profitèrent pour se glisser à l'intérieur en gémissant et Galshan se recroquevilla sous les couvertures.

Le vieil homme ne réapparut qu'au bout d'un temps infini. Le gel s'était plaqué jusque sur son visage en un masque blanchâtre qui ne laissait libre que la mince fente de ses yeux. Avec une grimace de douleur, il dénoua ses doigts du sac qu'il portait, s'agenouilla devant le poêle et le chargea en bois.

Une fumée âcre s'éleva aussitôt, que le blizzard rabattait par à-coups.

Le vacarme enfla encore. Le Djout prit son élan du fond de la vallée, le mugissement se fit assourdissant, rauque comme un cri de bête. Et, dans une explosion de démence, la rafale percuta Tsagüng à pleine puissance. Galshan hurla de peur, le poing serré sur la pierre noire d'Istanbul. Le feutre se gonfla, prêt à éclater, la ger sembla s'arracher du sol, comme si elle s'envolait. Plusieurs des perches qui le soutenaient se brisèrent dans un craquement de bois sec. Aussi facilement que des pailles d'avoine.

Baytar s'approcha de Galshan et lui passa le bras autour des épaules. Elle se serra contre le vieil homme et ils attendirent en silence, assommés par un tel déferlement de violence.

La provision de bois s'épuisa rapidement. Il était impossible maintenant de sortir. Impossible de lutter contre la puissance déchaînée de ce vent.

Ils attendirent. Encore et encore. La peur nouée au ventre. Comme si le temps n'existait plus.

La ger vibrait de partout, prête à s'effondrer. Galshan ne sentait plus son corps et, insensiblement, le froid l'engourdissait. Des images défilaient en elle, tendres et douces comme des rêves : le sourire de Daala, le camion de Ryham, les trottoirs poussiéreux d'Ikhoiturüü sur lesquels son amie Aïbora se promenait. Il lui semblait que le seigneur

Kudaj pouvait indéfiniment planer dans ce ciel si haut, si glacé et si blanc... Blanc comme cette paralysie sourde qui rongeait lentement sa chair. Ses membres pesaient des tonnes. Tout était si calme, maintenant... C'est peut-être comme ça qu'on meurt, pensa-t-elle. Et il n'y avait rien d'affolant dans cette pensée. Plutôt un immense abandon. Le Davkhar Djout... La Mort Blanche...

« Préviens ma mère, seigneur Kudaj, murmura-t-elle, dis-lui de venir me rechercher, dis-lui... Il fait trop froid, ici... » Le bébé devait être au chaud, lui ! Bien au creux du ventre de Daala... Sa tête retomba soudain contre l'épaule de Baytar, molle comme celle d'un oiseau mort.

Immédiatement, le vieil homme la secoua. Il la gifla à toute volée jusqu'à ce qu'elle hurle de douleur.

— Ne t'endors pas, Galshan ! Surtout ne t'endors pas !

Il s'acharna à coups de hachette sur la table basse et le petit meuble de bois dans lequel séchaient les fromages, et enfourna les morceaux dans la gueule du poêle. La flamme jaillit, tourmentée par les coups de boutoir du vent. Il installa Galshan devant, presque à toucher la fonte, et la frotta jusqu'à ce que sa peau devienne rouge, douloureuse comme une brûlure. Elle en pleurait, mais lui continuait, sans une seconde d'arrêt, le souffle court, les lèvres tremblantes.

*

Le Djout souffla trois jours sans discontinuer. Glacial, opiniâtre, terrifiant.

Lorsque enfin le vent tomba, Baytar avait brûlé tout ce qui lui était tombé sous la main, jusqu'à la paille de sa propre paillasse. Dans la réserve, les sacs de farine de seigle avaient été éventrés et leur contenu dispersé. Galshan se risqua dehors et, devant son visage, son haleine se transforma immédiatement en milliers d'imperceptibles cristaux de glace qui flottaient légèrement devant ses lèvres. Le froid la suffoqua comme un coup de poing en plein ventre.

Au loin, elle aperçut un groupe d'une dizaine de chevaux qui se pressaient les uns contre les autres pour tenter d'échapper au froid. Il lui sembla reconnaître Gris-de-Fer.

C'était le seul signe de vie. Partout ailleurs, le vallon était dévasté. La terre, les rochers, le monde... tout disparaissait sous une croûte de glace épaisse, dure comme du métal. Il n'y avait plus trace des moutons, plus trace du ciel, ni de la terre, ni de l'est, ni de l'ouest.

Rien qu'une aveuglante blancheur... Rien que la Mort Blanche...

Chapitre 20

L'abri du seigneur Kudaj n'était plus qu'une ruine de glace et de pierre.

La tête enfouie sous l'aile, les plumes ébouriffées, l'aigle s'était réfugié dans un angle.

— Kudaj, murmura Galshan, Kudaj...

L'oiseau ne bougea pas. Seul l'imperceptible mouvement des plumes de sa poitrine indiquait qu'il était encore en vie. Galshan l'enveloppa de son deel et le souleva dans ses bras sans que Kudaj eût un mouvement. Jamais elle ne l'avait senti aussi léger. Elle le porta vers la ger, la gorge nouée. Le froid lui hachait la peau et brûlait ses poumons. Elle ne devait pas pleurer.

Les quelques morceaux de bois humide que Baytar avait réussi à dénicher fumaient dans le poêle. Il observa le seigneur Kudaj sans y toucher. L'aigle avait relevé la tête et peinait à la maintenir droite, son regard vitreux avait perdu tout éclat.

— Tu crois qu'il vivra ? chevrota Galshan tandis que Baytar s'éloignait sans répondre.

Elle ne tenta plus de retenir ses larmes. Elle devait sauver Kudaj. S'il survivait, le bébé de Daala vivrait. Elle en était sûre.

Elle disposa de fines lanières de viande congelée à côté du feu pour les tiédir.

*

D'un coup de reins, le cheval de Baytar franchit les derniers mètres du sentier et s'arrêta. Rien qu'à l'épaisseur du silence qui l'entourait, le vieux berger comprit que la Mort Blanche avait frappé.

Agenouillé à même le sol glacé, il allongea le seigneur Khar le bec tourné vers le levant, recouvrit le corps de l'oiseau d'un cairn de pierres plates et prit lourdement le chemin de son troupeau.

Autour de lui, tout était saccagé, méconnaissable. Le blizzard avait soufflé ici encore plus fort qu'en bas. Au loin, les vautours tournoyaient dans le ciel laiteux. À travers la mince fente de ses paupières, Baytar les observa, laissant à son cheval le soin de trouver seul son chemin sur la sente verglacée. S'ils étaient là, c'est que la Mort Blanche les avait précédés. Lorsqu'il arriva au plateau, de loin en loin, les cadavres des bêtes mortes jonchaient la neige de petits monticules blancs de givre et les vautours étaient déjà à l'œuvre. Jamais il n'avait ressenti une telle lassitude. Quelque chose se déchira en lui. Son âge lui pesait comme une pierre.

D'ordinaire, pendant les périodes de grands froids, les brebis se rassemblaient en masses compactes, serrées les unes contre les autres, et la chaleur qui se dégageait du troupeau les protégeait mieux que n'importe quel abri. Mais le blizzard des trois derniers jours les avait affolées et les bêtes s'étaient dispersées, incapables de résister à la violence des vents. Incapables de se repérer au cœur de la tourmente. Malheur à celles qui s'étaient alors retrouvées isolées. Inexorablement, le froid s'était glissé au cœur de leurs muscles et de leurs artères, il avait envahi leur cerveau... Et Davkhar Djout, la Mort Blanche, les avait emportées. Le troupeau était anéanti.

Aux pieds de Baytar, Huda et Huva jappaient, les pattes protégées du froid par d'épais manchons de cuir.

— Yeaaah ! Allez les chiens !

Sa voix tremblait. Pendant que les deux molosses s'élançaient à la recherche des bêtes rescapées, il s'approcha des vautours. Plus jeune, il aurait ramassé des pierres et les aurait chassés dans un accès de colère, mais, maintenant, il les laissait faire. Les bêtes mortes n'étaient de toute façon plus bonnes à rien, même leur peau, une fois gelée, était irrécupérable. Comme s'il sentait qu'il n'avait rien à craindre, l'un des charognards s'abattit tout prêt de Baytar. Il jeta sur l'homme un rapide coup d'œil et s'attaqua aussitôt à la dépouille d'une brebis, lui fouaillant le ventre à coups de bec.

Les chiens ne mirent que quelques minutes à rassembler les bêtes survivantes. Moins d'une centaine, estima Baytar. La Mort Blanche avait emporté dans sa fureur les deux tiers de son troupeau ! Certaines avaient déjà les pattes en sang à force de gratter la glace à la recherche d'un peu de nourriture. Avec tendresse, Baytar enduisit leurs plaies une à une d'un mélange de graisse et de suie, puis il passa un long moment à casser la glace à coups de pic pour que ses bêtes puissent accéder à l'herbe rare et jaunie qui tapissait encore le sol.

Lorsqu'il s'arrêta, haletant, la poitrine en feu, des myriades de points lumineux flottaient devant ses yeux. Il s'adossa à un rocher et ferma les yeux. Dans son dos, il entendait le piétinement des bêtes qui se jetaient avec frénésie sur leur maigre pâture.

Les aboiements furieux de ses chiens le tirèrent en sursaut de son immobilité. Il ne sentait déjà plus son visage, ni ses membres. Un vautour s'était posé tout près de lui et s'approchait en se dandinant, le bec entrouvert, déjà prêt au festin...

Baytar eut un rire un peu forcé en se redressant péniblement.

— Tu es trop pressé, vautour. Laisse-moi arriver au bout de mes cent cinquante-trois jours. Après, nous verrons...

CHAPITRE 21

Trop affaiblie par le Djout et la faim, la brebis tremblait sur ses pattes, incapable d'avancer. Baytar la posa doucement en travers de son cheval, il savait qu'elle mourrait avant d'arriver à Tsagüng, mais aucun berger au monde n'aurait abandonné l'une de ses bêtes... Au bout de quelques minutes, l'animal eut un léger soubresaut et sa tête bascula contre la selle. Baytar passa la main devant ses yeux fatigués.

Depuis les journées de blizzard, le froid était insupportable. Exténuant pour les humains, et mortel pour les bêtes. Chaque jour, il en mourait une ou deux, des jeunes, des femelles porteuses... Quant aux bêtes encore bien portantes, elles seraient trop faibles lors du dégel pour agneler. Le troupeau ne comptait plus que soixante-seize têtes.

Le seigneur Kudaj était le seul qui semblait profiter de la situation. Nourri des meilleurs abats des animaux morts que Baytar redescendait chaque jour du plateau, il avait récupéré toute sa puissance en quelques jours.

— Tous les seigneurs, avait dit Baytar en le regardant manger sur le poing de Galshan, profitent de la faiblesse des autres.

*

La veille, sur son carnet, Galshan avait coché le quatre-vingt-troisième jour, mais elle n'en était pas très sûre. C'était peut-être le quatre-vingt-deuxième, ou bien le quatre-vingt-quatrième. Les journées de Djout l'avaient empêchée de tenir un compte rigoureux du temps.

Malgré la cisaille du froid, Kudaj planait au-dessus du vallon. Les ailes parfaitement immobiles, il profitait des pâles rayons d'un soleil glacial qui ne réchauffait ni les hommes ni les bêtes.

Juste au-dessous de lui, un tétras s'était terré contre un rocher et tentait d'emmagasiner un peu de la maigre chaleur qui rayonnait de la pierre. Il n'avait pas bougé depuis la fin de la matinée mais l'ombre qui progressait le gagnait lentement. Lorsque le soleil déserta son abri, l'oiseau se déplaça de quelques mètres à la recherche d'une nouvelle plage de lumière.

Une erreur...

Il eut à peine le temps d'entrevoir la silhouette fauve de l'aigle plonger sur lui. Il jeta un gloussement de terreur et, dans un réflexe désespéré, tenta de s'échapper. Le choc résonna le long des parois rocheuses. Un éclaboussement de plumes. Un cri de détresse. L'aile pendante, le tétras chercha à fuir entre les pierrailles tandis que Kudaj remontait en flèche. L'aigle repiqua aussitôt sur sa proie et, d'un coup de bec, lui sectionna les vertèbres du cou.

Galshan s'approcha sans bruit tandis que le seigneur Kudaj plongeait le bec dans la gorge encore chaude de l'oiseau avec un plaisir manifeste.

Baytar disait aussi que tous les seigneurs naissent pour être cruels.

CHAPITRE 22

La brume fondait les brebis en une masse compacte. Un simple coup d'œil suffit à Baytar pour savoir que de nouvelles bêtes manquaient à l'appel. Ce n'était pas normal. Depuis que le Djout s'était abattu sur la région, elles ne s'éloignaient jamais des aires où il avait pioché la glace, grattant fiévreusement le sol à la recherche du moindre brin d'herbe.

— Yaaah ! Allez les chiens ! Yaaah !

Huda et Huva s'élancèrent. Leurs silhouettes s'estompèrent et le bruit de leurs pattes sur le sol gelé s'affaiblit rapidement, étouffé par la neige qui recommençait à tomber.

Un long hurlement s'éleva soudain. Un mélange de fureur et de peur. Affolé, Gris-de-Fer fit un écart si brusque que Galshan manqua de tomber. Elle tressaillit, de peur autant que de froid. Jamais encore elle n'avait entendu les chiens hurler de cette façon. Le cri s'éteignit peu à peu pour reprendre, plus violent encore, déformé par les échos, impossible à localiser.

— Tu as entendu ?

Mais Baytar avait déjà lancé son cheval au galop en direction des rochers. Tant bien que mal, Galshan lui emboîta le pas mais, apeuré, Gris-de-Fer ne cessait de botter et de se dérober. Lorsqu'elle parvint enfin à le calmer, Baytar avait disparu dans la brume.

— Attas ! Attas !

Les chiens hurlaient toujours. Un frisson la secoua tout entière. Elle poussa son cheval vers le pierrier. Des jappements aigus remplaçaient maintenant les hurlements. Ils semblaient jaillir de tous les recoins du plateau, assourdis par la neige qui tombait de plus en plus drue.

— Attas !

Gris-de-Fer broncha. Les chiens se turent, Galshan n'entendait plus que le crissement de la neige sous les sabots. Autour d'elle, la brume s'était épaissie jusqu'à l'enfermer dans un cocon étouffant. Elle se mordit les lèvres pour ne pas hurler et tendit l'oreille, attentive au moindre bruit. Les flocons crépitaient imperceptiblement sur la croûte de glace. La muraille blanche du brouillard se resserrait sur elle.

La peur explosa en elle avec la soudaineté d'un orage. Elle haletait, le souffle court, tous ses muscles tendus. Elle devait revenir sur ses pas ! Retrouver les bêtes, retrouver Baytar... De lui-même, Gris-de-Fer fit demi-tour, ses sabots glissaient sur la neige. Était-elle vraiment venue par là ? Tout se ressemblait tellement.

— Attas ! lança-t-elle encore une fois.

Le brouillard étouffa son cri. Il neigeait maintenant à gros flocons et seule la lourde respiration de son cheval troublait le silence. Elle noua ses bras autour de son encolure.

— Retrouve-le, Gris-de-Fer ! Retrouve-le ! Je t'en supplie !

Le cheval hésita, fit encore quelques pas, et renâcla brusquement, les oreilles couchées de peur. Devant eux, à quelques mètres, une masse grisâtre se détachait, immobile, bien différente des rochers qui l'entouraient. Galshan mit pied à terre et s'en approcha lentement. Elle tremblait de tout son corps. Malgré le froid, l'odeur la prit soudain à la gorge. Une odeur de chair et de sang.

La brebis était méconnaissable. Éventrée, déchiquetée, dévorée. La neige recouvrait peu à peu la roche rougie de sang.

Galshan restait paralysée de terreur, incapable de crier, ou même de fuir. Elle se retourna juste à temps pour voir la silhouette massive de Gris-de-Fer qui s'enfuyait silencieusement dans le brouillard, affolé par l'odeur de sang. Elle tenta de le rattraper, puis se laissa tomber dans la neige. Le froid l'engourdissait peu à peu, le brouillard l'enveloppa de sa couverture glacée. Au creux de sa moufle son poing se crispa sur la petite pierre d'Istanbul.

Et tout disparut.

CHAPITRE 23

Galshan entrouvrit les yeux. Elle était sous la ger. Les provisions de bois étaient épuisées depuis longtemps et c'était l'odeur âcre d'un feu de bouses sèches qui l'avait réveillée. Dehors, le claquement d'une hachette résonnait dans le froid. Elle resta un moment sans bouger, à rassembler ses souvenirs : cette neige, le brouillard, puis le hurlement des chiens... L'image de la brebis déchiquetée jaillit soudain de sa mémoire. Elle étouffa un cri.

Dehors, la silhouette de Baytar se profilait, gommée par de longues écharpes de brume. Galshan approcha.

— Tu as failli mourir, fit-il sans se retourner.

— Mourir ?

— Oui. Sans les chiens je ne t'aurais jamais retrouvée. Dans le brouillard, la seule chose à faire, c'est de ne pas bouger. Rester où l'on est et attendre que ça se lève, même si tu en as pour trois jours. Ton père aurait dû te l'apprendre !

À petits coups précis de sa hache, Baytar affinait une branche de saxaoul. Lorsque le bois fut mince comme une lamelle, il le porta devant sa bouche et souffla sur la tranche. Le son, grave et rauque, surprit Galshan. Il évoquait vaguement un cri de bête.

— Attas... Pour la brebis, qu'est-ce qui s'est passé ?

Baytar ponçait le bois contre une pierre.

— Les loups ! Le Djout les chasse vers les troupeaux. Ils m'ont tué sept bêtes ! J'ai laissé les chiens là-haut pour la nuit. Demain, on installera la pierre à loups.

— La pierre à loups ?

Baytar caressa le poli de la paume de la main et, de nouveau, il souffla sur la tranche. Le bois émit une plainte grave. Le nez levé vers le brouillard, il huma l'air glacé.

— Si demain le temps est clair, le vent hurlera comme un loup.

CHAPITRE 24

Quatre-vingt-septième jour.

Le jour se leva sur un ciel pâle et clair comme de l'eau. Le vent du nord avait chassé le brouillard, des stalactites s'étaient formées jusque sous la ger et les haleines gelaient sur les lèvres. Lorsque Galshan et Baytar arrivèrent en vue du plateau, les membres gourds de froid, le vieil homme siffla ses chiens et attendit. Huva et Huda restèrent invisibles, Baytar pressa son cheval et les siffla plus fort.

Ce n'est qu'en approchant du troupeau qu'il les aperçut. Deux brebis éventrées gisaient, comme vidées de leur chair et, un peu plus loin, Huva baignait dans une mare de sang gelé, la gorge déchirée. Huda tenta de se traîner vers son maître. Une profonde blessure lui barrait le poitrail.

Sans un mot, Baytar abrégea ses souffrances d'un coup précis de son couteau à la base de la nuque tandis que Galshan, secouée de haut-le-cœur, vomissait, la tête appuyée contre la roche glaciale.

Baytar entassa les cadavres au pied de la paroi rocheuse et entreprit de les recouvrir de pierres. Galshan l'aidait de son mieux, en évitant de regarder les plaies béantes des chiens et des brebis. Les roches étaient lourdes, scellées par la glace, et ils étaient souvent obligés de s'arrêter pour reprendre haleine et essuyer la sueur qui, malgré le froid, leur coulait jusque dans les yeux. Une fois les bêtes recouvertes, Baytar s'assit à l'écart. Le souffle court, il ferma les yeux, posa la main sur sa poitrine et resta un long moment immobile, comme s'il dormait. Galshan n'osait rien dire.

Il s'ébroua brusquement et se releva en grimaçant de douleur.

— Il ne faut jamais se reposer, articula-t-il péniblement, les lèvres bleues de froid. Ma grand-mère est morte comme ça, l'année du Grand Djout. J'étais à peine plus âgé que toi. Elle redescendait une bête trop faible en la portant sur ses épaules. Elle a dû s'arrêter pour souffler, et on les a retrouvées mortes toutes les deux, elle et la brebis. Elle était assise, le dos contre la roche et, de loin, on pouvait croire qu'elle s'apprêtait à se relever. Notre pays est un pays d'hommes debout.

Il passa ensuite un long moment à examiner des pierres. Il les tournait, les retournait, passait la main dessus et décidait généralement de les rejeter. Il finit par en choisir deux, bien lisses et légèrement incurvées, qu'il installa sur un vieux cairn de berger. Il glissa entre elles la lamelle de saxaoul qu'il avait taillée la veille et l'orienta minutieusement dans le sens du vent. Galshan le regardait faire sans comprendre.

La lamelle vibra doucement avec un sifflement grave.

— À quoi ça va te servir ?

Baytar cala soigneusement les pierres et attendit, les yeux mi-clos. La glace s'était incrustée jusque sur ses sourcils. Une rafale plus forte balaya le plateau et, aussitôt, la pierre hurla. Galshan sursauta. C'était un hurlement puissant, profond, inquiétant comme celui d'une vieille louve à la tête de sa meute.

— Le vent hurle comme les loups, murmura Baytar. S'il souffle assez fort, il les attirera jusqu'ici. Il ne restera qu'à les abattre...

*

Ils redescendirent trop tard pour faire voler le seigneur Kudaj. Galshan lui porta un petit passereau qu'elle venait de piéger avec de la glu. Les oiseaux se faisaient de plus en plus rares, le froid les avait chassés vers le sud et l'aigle était loin de manger tous les jours à sa faim. Malgré cela, il ignora cette proie trop facile et se contenta d'ébouriffer ses plumes pour se protéger du froid. Maintenant, il préférait chasser par lui-même.

La nuit s'écroula sur Tsagüng, aussi venteuse que les précédentes. Assis dans la pénombre, Baytar nettoyait et graissait silencieusement la seule arme qu'il possédait : une vieille carabine chinoise de contrebande. La lueur tremblotante de la lampe à pétrole était à peine suffisante pour que Galshan puisse lire. Les mains serrées autour du canon de sa pétoire, Baytar écoutait l'histoire du vieux pêcheur cubain.

« Soudain, l'océan se souleva en avant de la barque et le poisson apparut. Il n'en finissait pas de sortir ; l'eau ruisselait le long de ses flancs ; il étincelait dans la lumière... »

Une rafale plus forte balaya brutalement le vallon et un hurlement déchiqueta l'obscurité. Baytar se dressa d'un bond.

— La pierre hurle, murmura-t-il, les loups vont venir !

Il avait à peine passé son deel que Galshan lui cria :

— Je viens avec toi !

Le vieil homme secoua la tête.

— Il n'en est pas question. Ces loups ont tué mes bêtes, c'est à moi de les abattre. Seul. Je serai de retour avant le matin.

Il s'éloigna dans la nuit. Là-haut sur le plateau, la pierre hurlait au vent. Comme une bête.

Chapitre 25

L e jour émergea dans un froid étourdissant. Un ciel très bleu, poli comme un marbre, enchâssait les montagnes. Galshan se dressa sur sa paillasse et regarda autour d'elle. Le poêle était éteint, l'eau avait gelé dans la bouilloire et le givre s'était déposé jusque sur les couvertures. Elle était seule.

« Je serai de retour bien avant le matin... »

Elle cligna dans la direction où aurait dû arriver Baytar, mais il n'y avait aucune trace du vieil homme. Elle chercha à se rassurer. Sans doute s'était-il directement occupé de ses bêtes. Il redescendrait plus tard, après avoir pioché la croûte de glace et soigné les pattes crevassées. Ou peut-être dépeçait-il les loups...

Il fallait avant tout raviver les braises du poêle, c'était une question de survie. Depuis que la neige avait enseveli les saxaouls, les moindres restes de bois avaient été utilisés et les bouses, encore humides, prenaient difficilement. Dans un nuage de fumée grisâtre, de maigres flammèches se décidèrent enfin. Galshan posa quelques bouses à sécher sur les tôles et sortit, la fourrure de son deel remontée jusqu'aux yeux. Dehors, la neige vibrait de lumière. La main en visière, elle observa la ligne plus sombre du sentier, là-bas, à flanc de pente. Tout était désert, parfaitement immobile. Galshan happa une goulée d'air glacial. La petite pointe d'inquiétude qui nichait en elle depuis son réveil s'enfonça plus profondément dans sa chair, aiguë comme une grosse écharde.

Hiiik ! Hiiik !

Le cri du seigneur Kudaj la fit sursauter. C'était un rappel à l'ordre ! Ce matin lumineux et glacé était idéal pour voler. Elle délaça ses jets, le rapace resta un instant sur son poing avant de prendre son essor puis il fila plein ouest, en direction du plateau. Voilà des jours que Tsagüng n'avait connu un temps aussi calme, presque sans vent. Kudaj ne mit que quelques instants à trouver un courant porteur et, sans un battement d'ailes, il parut soudain bondir au-dessus du vallon. Galshan le suivit des yeux. D'où il était, Kudaj devait apercevoir Baytar.

— Va, Kudaj, l'encouragea-t-elle doucement, indique-moi où est Attas...

L'aigle allait passer la ligne de crêtes lorsqu'il fit un brusque crochet et glissa sur l'aile droite. Les yeux plissés, Galshan se demanda pourquoi il avait subitement changé de trajectoire. C'est alors qu'elle aperçut, juste au-dessous de lui, cinq ou six gros oiseaux d'une envergure impressionnante qui tournoyaient.

Un violent frisson la secoua de la tête aux pieds. N'importe qui aurait reconnu un vol de vautours.

Kudaj avait répondu à sa prière, elle savait où trouver Baytar...

Le sol vibra soudain sous ses pieds. Là-bas, au pied des collines, un cheval galopait éperdument, soulevant sur son passage un nuage de neige. Il fonçait droit sur Tsagüng, grossissant de seconde en seconde. Elle le reconnut immédiatement.

Blanc d'écume malgré le froid, le cheval de Baytar filait à bride abattue. Seul. Sans cavalier.

Chapitre 26

Gris-de-Fer soufflait comme une forge. Galshan l'avait poussé comme jamais sur le chemin, au risque de déraper sur les plaques de glace. Terrés dans le recoin le plus abrité du plateau, les moutons s'écrasaient les uns contre les autres. Il n'en restait qu'une cinquantaine, à bêler de froid et de faim. Du premier coup d'œil, Galshan se rendit compte que Baytar ne s'était pas occupé d'eux : nulle part la croûte de glace qui se reformait chaque nuit depuis le Davkhar Djout n'avait été piochée. Les pattes en sang, certaines bêtes s'épuisaient à la crever à coups de sabots. La plupart étaient trop faibles pour même s'y essayer.

— Attas ! Baytar !

Quelques bêtes bêlèrent mais aucune voix ne lui répondit. Le visage et les membres sciés par le froid, Galshan fit le tour des pâtures au galop. Baytar n'était nulle part. La pierre à loup se dressait là où, la veille, le vieux l'avait installée. L'absence de vent la rendait muette.

Vers les crêtes, le bleu délavé du ciel restait infiniment vide. Plus aucune trace des vautours, ni même de Kudaj.

Gris-de-Fer progressait à pas lents dans un chaos de roches et de neige. Pétrifiée de froid, Galshan observait le sol, à la recherche du plus petit signe du passage de Baytar. Rien ne permettait de dire qu'il était venu par ici. Et pourtant, à moins de redescendre sur Tsagüng, il n'avait pas pu aller ailleurs. De temps à autre, elle l'appelait et sa voix résonnait étrangement dans l'air glacé.

Vers midi, le froid se fit moins âpre, mais Galshan savait que d'ici trois heures, lorsque le soleil disparaîtrait derrière les escarpements rocheux, la température redeviendrait intolérable. La peur et le froid étaient frère et sœur. Ils l'enveloppaient tous deux comme une seconde peau, présents à chaque instant, alourdissant chacun de ses gestes, engourdissant son esprit...

Le plateau se rétrécit en un défilé rocheux plus resserré où le jour pénétrait difficilement. Les oreilles couchées, Gris-de-Fer peinait sur les roches verglacées et renâclait à avancer. Galshan finit par descendre et le tenir par la bride.

Un éboulis de roches et de glace bloquait le sentier, elle attacha son cheval et continua seule.

Jamais encore elle ne s'était aventurée aussi loin. La neige et le vent avaient effacé tous les repères et la pente se faisait de plus en plus escarpée. Elle atteignit enfin un surplomb et observa les alentours. Au plus profond d'elle-même, la peur se noua comme une corde. Il n'y avait aucune trace de Baytar...

Elle allait revenir sur ses pas lorsque, sur le sol, un petite masse sombre attira son attention... Elle s'approcha. C'était la blague à tabac de Baytar ! Quelques mètres plus loin, un long filet de sang rougissait la glace. Galshan sentit son ventre se contracter, un infect goût de bile lui envahit la bouche.

— Baytar ! lança-t-elle d'une voix blanche. Baytar !

Le silence avait l'épaisseur de la boue. Les ombres glacées des roches s'allongeaient déjà.

D'autres taches de sang avaient gelé sur les rochers. Sang d'homme ? Sang de loup ?... Galshan suivit leur piste. Elle ne ressentait plus le froid, mais une effroyable douleur lui broyait la poitrine. La peur l'étouffait. Derrière les rochers, un froissement d'ailes la fit sursauter.

Le vautour se dandinait comme une grosse marionnette. Le bec en avant, d'autres approchaient à pas comptés d'une silhouette adossée à la roche, prêts à fouailler sa chair. Baytar les repoussa d'un geste exténué. Son bras gauche pendait, inerte, déchiqueté jusqu'à l'épaule.

Galshan se précipita.

— Attas ! Attas !

Baytar tourna la tête. Les vautours s'enfuirent dans un vacarme d'ailes et de plumes. Galshan s'agenouilla et la tête du vieil homme retomba sur son épaule.

CHAPITRE 27

Baytar pesait des tonnes.
Le bras passé sous son épaule valide, Galshan le portait plus qu'elle ne l'aidait à marcher. Chaque seconde l'alourdissait et, tous les quatre ou cinq pas, elle devait s'arrêter pour reprendre haleine, le dos broyé par le poids du vieil homme. À demi conscient, Baytar geignait comme un animal blessé.

Le soleil déclina, plongeant lentement le défilé dans un froid d'acier. Galshan ne sentait plus rien, son visage était dur comme de la pierre. Elle devait absolument retrouver Gris-de-Fer avant que le soleil ne s'efface derrière les crêtes...

Des myriades de points lumineux dansèrent devant ses yeux. À bout de forces, elle adossa Baytar contre un rocher. Sa respiration était de plus en plus irrégulière, il délirait.

— La bête, jeta-t-il terrifié. La bête ! Elle revient...

Sa tête dodelinait d'un côté à l'autre, comme pour chasser un mauvais souvenir. Elle tenta de l'apaiser mais, les yeux fixes, l'air hagard, il semblait ne pas l'entendre.

— La bête... Elle va revenir !...

Galshan aspira une goulée d'air glacé et effleura le bras blessé du vieil homme. Il avait perdu ses gants et sa chair était violacée de froid. Sa blessure avait la précision d'un coup de couteau, comme si le cuir épais de son deel avait été découpé par une lame. Plus haut, la plaie se divisait en quatre sillons bien parallèles puis se fondait en une répugnante bouillie de chair et de sang.

« Comme un coup de griffes... » pensa d'abord Galshan.

Et puis, en un éclair : « Mais les loups ne griffent pas ! Ils mordent ! »

Si ce n'était pas un loup qui avait attaqué Baytar, alors qui ? Cette bête qui le hantait dans sa fièvre ?... Galshan le regarda, il avait fermé les yeux et respirait lourdement.

Le vent se leva et, avec lui, le hurlement de la pierre à loups. Galshan se redressa d'un bond, pantelante. La peur ressurgissait ! Elle l'envahit comme une coulée de boue. De toutes ses forces, elle tenta de lui résister. L'éboulis de roches qui se dressait devant eux était le dernier obstacle avant Gris-de-Fer. Elle repassa son bras sous celui de Baytar.

Jamais il n'avait paru si pesant. Il poussa un gémissement et tenta de faire quelques pas, mais il y renonça bientôt et s'écroula de toute sa masse contre Galshan. Elle le traîna dès lors comme un poids mort, s'aidant de la carabine chinoise comme d'un bâton.

Un pas. Deux, trois... « Gris-de-Fer est tout proche. » Reprendre haleine. « Juste derrière ces rochers. » Un pas. Deux... « Daala... » Encore un. « Seigneur Kudaj, aide-moi... » Un insupportable miroitement devant les yeux. « À Ikhoiturüü, Aïbora devait pêcher aux touristes ». Atteindre la pierre ! « La peur ! » Encore un pas... « La peur... »

Elle prit subitement conscience d'un regard braqué sur elle... Deux pointes appuyées contre sa nuque... Un filet de sueur glacée coula le long de son dos. Lentement, Galshan appuya Baytar contre une pierre et se retourna.

La bête ! À demi dressée sur un rocher, les muscles frémissant sous son épaisse fourrure tachetée de noir, elle se fondait presque avec les couleurs de la pierre. Sa longue queue touffue fouettait l'air glacé. Elle bâilla en dévoilant une terrible rangée de crocs et avança à pas comptés jusqu'au bord de la roche. Ramassée sur elle-même. Prête à bondir...

La menace silencieuse de ce regard jaune et vert paralysait Galshan. Jamais elle n'avait vu une telle bête.

— Fuis, Galshan ! murmura Baytar derrière elle, si faiblement qu'elle le devina plus qu'elle ne l'entendit.

De la main droite, il esquissa un imperceptible geste.

— Laisse-moi... avec elle..., jeta-t-il dans un souffle.

La bête se figea, parfaitement immobile, de la pointe des oreilles à celle de la queue. Son attention s'était reportée sur Baytar. Galshan tremblait comme une feuille, les doigts crispés sur la carabine. La carabine ! C'était leur seule chance ! Très lentement, sa main descendit le long du canon. Elle sentit sous sa moufle le pontet, la détente et entreprit de remonter l'arme, centimètre par centimètre. En face, le fauve n'avait pas bougé, il émettait une sorte de grondement grave et continu, les yeux mi-clos.

La carabine était maintenant à hauteur de son épaule, mais elle ne pouvait pas tirer avec sa moufle, il fallait l'ôter. L'arrière-train de la bête oscillait de gauche à droite, dans la même posture qu'un chat prêt à bondir. Son grondement vira à l'aigu. La moufle de Galshan tomba par terre avec un bruit mat et l'animal se redressa à demi. Avec des gestes très lents, Galshan tenta malhabilement d'épauler. Jamais de sa vie elle n'avait utilisé d'arme.

Le canon remontait peu à peu vers le fauve.

— Pas chargée..., murmura Baytar. Et sa tête retomba lourdement sur sa poitrine.

Les griffes de la bête se crispèrent sur le rebord de la roche. Galshan ferma les yeux...

Un vrombissement taillada soudain l'air. Une masse sombre fondit du ciel. Surprise, la bête se rétracta en feulant. Le seigneur Kudaj écarta les ailes au dernier moment et la frôla avant de remonter en chandelle vers le ciel. Le coup de griffes du fauve jaillit alors que Kudaj était déjà à plus de trente mètres. Et, lorsqu'il replongea vers le sol avec un cri perçant, en quelques bonds souples, la silhouette de la bête disparut derrière la grisaille des rochers. Elle abandonnait.

Tout s'était déroulé en quelques secondes. Si vite que Galshan resta un instant la carabine pointée sur le vide, à se demander si elle n'avait pas rêvé.

Lorsqu'elle abaissa enfin son arme, le ciel était vide, balayé de longues rafales qui faisaient hurler la pierre. Baytar s'était évanoui. Quelque part, Gris-de-Fer hennit en sentant l'odeur toute proche de Galshan.

CHAPITRE 28

Ils arrivèrent à Tsagüng à la nuit tombée. Baytar respirait à peine, la poitrine et le visage couverts de sueur, les yeux vagues. Galshan l'allongea sur sa paillasse, lui essuya le visage et raviva le feu d'une pelletée de bouses sèches.

Le cœur au bord des lèvres, elle nettoya ses blessures à l'eau bouillie et les enduisit de l'onguent à base d'herbes, de cendres et de graisse qu'il utilisait pour ses bêtes. Le vieil homme semblait ne rien sentir.

Exténuée de fatigue, trop harassée pour pleurer et pour seulement prononcer le nom de Daala, Galshan s'endormit comme une masse, le poing serré sur la pierre d'Istanbul. Son sommeil se peupla de feulements, de gueules hérissées de crocs et de pupilles jaunes, luisantes comme des feux.

Un hurlement déchira soudain l'obscurité. Elle se dressa d'un bond, secouée de peur. C'était Baytar !

Tremblant de fièvre, les yeux exorbités, il fixait la nuit.

— La bête ! cracha-t-il d'une voix rauque. La bête ! Elle va revenir !...

Il frappa le vide de sa main valide. Un soubresaut le secoua de la tête aux pieds, puis il retomba, inerte. Galshan s'approcha, frémissante.

— Attas ! Attas !

Il ne bougeait plus. Au-dessus de sa poitrine, le mouvement des couvertures de feutre semblait s'être arrêté. Les yeux brouillés de larmes, elle plaça un petit miroir devant sa bouche. La légère couche de buée qui s'y déposa était le seul signe de vie du vieux.

CHAPITRE 29

Depuis combien de temps Baytar oscillait-il entre la vie et la mort ?

Galshan aurait été incapable de le dire. Sur son petit carnet, le décompte de ses journées passées à Tsagüng s'arrêtait à quatre-vingt-trois. Après, elle ne savait plus. Les jours et les nuits se mélangeaient sans aucun repère, seulement rythmés par cet effroyable froid qui semblait ne jamais devoir finir et par l'état de Baytar. La plupart du temps, le vieil homme restait sur sa paillasse, brûlant de fièvre et noyé dans un demi-sommeil. Mais parfois, en proie à un délire dont rien ne pouvait le tirer, il se redressait et se battait contre « la bête » comme si elle s'était trouvée là, devant lui. Dans ces moments, seule la voix de Galshan parvenait à l'apaiser. Elle lui lisait alors de longs passages du *Vieil homme et la mer*, lentement, en détachant chaque mot, et il paraissait plus calme.

*

« La barque fit une embardée et le requin appa-
rut. Aussitôt, le vieux se pencha par-dessus bord et
lui porta un coup de couteau. Mais il n'atteignit que
la chair qu'il entama à peine... »

Galshan referma le livre. Elle essuya doucement
le front de son grand-père, lui prit la main et
l'appela à mi-voix.

— Attas... Attas, c'est moi, Galshan.

Les yeux mi-clos, le vieux ne bougea pas, son
souffle rauque se mêlait aux sifflements du vent du
nord qui, comme chaque soir depuis le début du
Davkhar Djout, s'était levé. Elle ne savait même pas
s'il la reconnaissait. Le corps de Baytar était encore
là, mais son esprit était prisonnier d'un monde terrifiant, peuplé de bêtes monstrueuses contre les-
quelles il ne cessait de lutter. Un monde où –
semblait-il – personne ne pourrait jamais le
rejoindre.

Une rafale ébranla la ger si fort qu'elle souffla la
maigre flamme du feu de bouse comme une simple
bougie. Galshan se précipita pour ranimer les
braises. Si le poêle s'éteignait, elle savait que le
venin du froid s'insinuerait en eux, les paralysant
lentement, rongeant peu à peu chacun de leurs
muscles et chacune de leurs pensées. Quelques

heures suffiraient à ce que la vie s'éteigne. Exactement comme le vent venait de le faire avec le feu.

La flamme se dressa de nouveau, hésitante et fragile comme un oisillon. Galshan fragmenta des morceaux de bouse sèche et les posa dessus avec mille précautions, puis elle attisa doucement les braises jusqu'à sentir sur sa peau la chaleur du feu. Son souffle venait de reconstruire ce que le grand souffle du vent avait détruit.

Elle fit fondre de la glace pour préparer du thé et une bouillie de seigle, le seule chose que Baytar parvenait encore à avaler. Mais, lorsqu'elle plongea la main au fond du sac de farine, ses doigts rencontrèrent tout de suite la toile grossière. Il était presque vide, à peine de quoi tenir trois jours. Après, il ne resterait rien... Le blizzard avait depuis longtemps éventré les autres sacs que Baytar gardait en réserve pour l'hiver.

Elle s'approcha de son grand-père, un bol de bouillie fumante à la main, mais le vieux s'était endormi. Elle remonta sur lui les couvertures de feutre et le regarda. Avec son visage tout plissé de rides, il ressemblait à un vieux bébé. De nouveau, la peur se glissa en elle, envahissant irrésistiblement chaque recoin de son corps.

Galshan se mordit les lèvres pour ne pas pleurer. *Il ne fallait pas !*

— Daala, Daala...

Elle prononça le nom de sa mère à plusieurs reprises. C'était doux comme une berceuse. Là-bas, le long d'Ikhoiturüü, son ventre avait encore dû s'arrondir. Rond comme un fruit... rond comme la Lune. Calé à l'intérieur, bien au chaud, le bébé n'allait certainement plus tarder à naître. Dans combien de jours ?... Galshan se recroquevilla à côté du poêle et tenta d'avaler quelques cuillerées de bouillie, mais rien ne passait. La peur, toujours ! Elle repensa au bébé. Pouvait-il naître cette nuit ?... ou demain ?... Était-il possible que Ryham soit déjà en route pour Tsagüng ?...

Ses doigts se refermèrent sur la petite pierre noire d'Istanbul et, l'oreille aux aguets, Galshan tenta de percer les bruits du vent. Peut-être que si elle y pensait très fort, elle allait entendre le grondement du moteur de l'Ural...

Mais rien ne se produisit. Le vent était le maître de la vallée. La toile déchiquetée d'une ger abandonnée claqua comme un coup de fouet et un long hurlement cisailla soudain l'obscurité. La pierre à loups !

En une seconde, Galshan fut sur pied, son cœur battait si fort qu'il lui sembla l'entendre par-dessus les mugissements du vent et ce hurlement qui n'en finissait pas. Un long frisson glacé la secoua. Baytar se redressa d'un bloc.

— La bête ! hurla-t-il, la bête ! Elle va venir !

Son cri s'étrangla dans sa gorge, se transformant en une plainte d'animal blessé. Terré contre la toile de feutre, il regarda Galshan s'approcher de lui avec des yeux agrandis par la terreur.

— Non ! Non !...

Il moulinait l'air avec ses bras, comme insensible à ses blessures. Le vieux heurta brutalement un des montants de la ger. Il poussa un cri de douleur et s'évanouit. Une large tache de sang apparut sur le bandage que Galshan lui changeait chaque jour. Sa plaie s'était rouverte.

— Attas ! Attas ! gémit-elle.

Dehors, le vent s'apaisa, aussi soudainement qu'il s'était levé, et le hurlement de la pierre s'éteignit avec lui en une longue plainte rauque. Le silence qui lui succéda était si compact que Galshan resta un long moment sans oser un geste.

C'est à ce moment qu'elle l'entendit... C'était dehors, infiniment léger, à peine perceptible... Comme des pas sur la glace, comme un animal, tout proche. À quelques mètres d'elle...

« La bête » était là !

Terrorisée, Galshan agrippa la main de Baytar. Le simple bruit de sa propre respiration lui semblait affolant. Elle sentait la présence de la bête plus qu'elle ne l'entendait. La toile de feutre frémit, juste à côté de la paillasse du vieil homme. La bête était juste derrière. Il aurait suffi de tendre le bras pour la toucher. Elle venait humer l'odeur de sa victime, l'odeur du sang qui s'écoulait de ses blessures.

Les yeux fermés, frémissante, les muscles tétanisés, Galshan attendit. La main du vieil homme était brûlante de fièvre. La glace crissa légèrement, les pas s'éloignèrent... Plus rien. La nuit se figea dans une immobilité de pierre. Galshan n'osait pas un geste. Dans le poêle, la petite flamme vacilla de nouveau. Il n'en resta bientôt que la lueur des braises et le froid devint intolérable. Galshan allait se lever lorsque le bruissement reprit. « La bête » approchait, elle rôdait. À la recherche d'une proie.

Les rares chevaux qui restaient bronchèrent soudain. Un frémissement parcourut l'obscurité. Puis un feulement, suivi d'un hennissement suraigu !

En un éclair, Galshan eut la vision de Gris-de-Fer se débattant entre les mâchoires du fauve.

Et le silence retomba sur Tsagüng.

CHAPITRE 30

Le jour se leva, gris et glacial. La mince couche de givre qui s'était déposée sur le feutre de la ger brillait comme du verre. Galshan n'avait pas bougé et le froid se vrillait en elle, aigu comme une pointe. Un choc ébranla soudain la porte. Galshan sursauta, elle tremblait de tout son corps. « Non !... » gémit-elle à mi-voix. « La bête » n'avait pas pu attendre aussi longtemps, elle n'avait pas pu rester là, à l'épier pendant toute la nuit, c'était impossible ! Elle essaya de s'en convaincre, lâcha la main de Baytar qui dormait pesamment et s'obligea à se lever. Elle vacilla. Ses membres ankylosés n'obéissaient plus. Pendant ce qui lui parut une éternité, elle resta immobile, à guetter les bruits du dehors. Un nouveau choc, plus léger, suivi d'un bref hennissement et de claquements de sabots contre la croûte de glace. Sa peur s'évanouit aussitôt et elle esquissa un semblant de sourire. Ce n'était que les chevaux. Ils avaient faim.

Elle entrouvrit la porte et, aussitôt, Gris-de-Fer la poussa du bout du museau. C'était sa façon à lui de réclamer sa pitance. Son épaisse toison de cheval des steppes était recouverte de glace et de longues stalactites pendaient jusque sous ses naseaux. Malgré tout, Galshan ne put s'empêcher de l'enserrer des deux bras et de rester un long moment collée contre sa grosse chaleur animale. Elle sentit sous le poil ses os qui saillaient sous la peau. Comme toutes les bêtes qui avaient survécu jusqu'alors au Davkhar Djout, il était d'une maigreur inquiétante et n'était plus en état, depuis plusieurs jours déjà, de porter Galshan.

Elle le repoussa doucement, serra contre elle les pans de son deel et fit quelques pas au-dehors. Le froid mordait comme un chien enragé, elle suffoqua et resta un moment pliée en deux à tâcher de contenir la douleur de ses poumons. À quelques mètres de là, juste devant la première ger de Tsagüng une tache sombre rougissait la glace. Les autres chevaux s'étaient rapprochés d'elle, dans l'espoir qu'elle leur donnerait quelque chose à manger, mais une sorte de barrière invisible les tenait à distance de la tache de sang. Les oreilles couchées, ils l'observèrent tandis qu'elle se baissait vers le sol gelé. Elle releva la tête. Sur les six chevaux qui étaient encore au campement hier, il n'en restait que cinq. Nulle part, hormis la tache de sang, elle ne vit de traces de celui qui manquait. « La bête » était partie avec sa proie.

Les chevaux s'enhardirent jusqu'à elle. Maigres à faire peur, ils la poussaient du bout du chanfrein pour l'inciter à les nourrir. L'alezan agrippa brusquement la peau de son deel pour la mâchonner et lui donna une bourrade plus vive que les autres. Elle glissa sur la glace et, en un éclair, sentit sa morsure au travers du cuir. Elle poussa un cri et se redressa en lui envoyant un coup de poing sur les naseaux. Les chevaux lui faisaient maintenant face, ils grattaient la glace en piaffant. Jamais elle ne les avait sentis aussi nerveux. L'alezan se cabra et son sabot lui effleura l'épaule, Galshan recula jusqu'à la ger en tremblant. La peur était maintenant de tous les instants.

Gris-de-fer était resté appuyé contre la porte. Elle partagea ce qui restait de farine de seigle en deux parts et lui en tendit une écuelle. Et lorsque les autres bêtes approchèrent, les narines frémissantes, elle les chassa avec la longue chambrière de Baytar.

Gris-de-Fer termina sa portion en quelques secondes et la regarda comme pour en réclamer une seconde part.

Demain, toutes les réserves seraient épuisées.

CHAPITRE 31

Depuis plusieurs jours, le ciel était trop gris, trop bas et trop froid pour voler. Ce n'était pas un temps à chasser, mais Kudaj jeta cependant un cri d'impatience. Galshan délaça ses jets et le regarda s'élever dans la grisaille. C'était peine perdue, le seigneur Kudaj n'avait pour ainsi dire aucune chance de trouver l'un de ces courants ascendants qui lui permettaient de monter à l'essor en quelques secondes.

Pendant un long moment, l'aigle battit des ailes sans parvenir une seule fois à se laisser porter. Il restait à l'extrême limite des nuages et son vol se faisait tout en puissance, sans un seul instant de repos. Il se dirigea vers le plateau et ce n'est qu'au-dessus des premiers contreforts qu'il sembla dénicher enfin un courant porteur. Elle eut le temps de l'apercevoir encore une fois, à peine gros comme un moineau alors que, les ailes parfaitement immobiles, il planait enfin dans un ciel d'ardoise.

Elle ferma les yeux et se laissa emporter par son vol.

Les montagnes défilèrent, puis la steppe, interminable et, tout là-bas, l'énorme masse grise de la ville surgit. Les moteurs fumaient dans le froid et les cheminées crachaient de lourdes volutes de suie. Ils survolèrent la longue avenue Ikhoiturüü et ses immeubles lézardés. Le ventre de Daala était énorme, rond comme un fruit mûr. Le bébé n'allait plus tarder et Ryham n'était pas encore de retour, retenu au loin par les neiges et les glaces. Dehors, malgré la température, Aïbora chantonnait...

Galshan rouvrit brusquement les yeux. Rien qu'à la façon dont le froid lui avait pétrifié le visage et les mains, elle comprit qu'elle était restée beaucoup trop longtemps immobile.

L'aigle réapparut soudain au-dessus du plateau. Le plateau... Rien que ce mot la fit frissonner. Jamais Galshan n'y était remontée depuis l'accident et, à l'exception d'une poignée de bêtes qui avaient réussi à rejoindre Tsagüng, les rescapées du grand troupeau de Baytar avaient dû depuis longtemps mourir de froid, ou sous les griffes de « la bête ».

Hiiik ! Hiiik !

Le seigneur Kudaj se posa sur un petit rocher couvert de glace, à quelques mètres d'elle, une patte resserrée sur un oiseau qu'il venait de chasser. Une faisane. Comment avait-elle réussi à survivre au froid ? Elle bougeait encore faiblement. D'un geste vif, il lui écrasa les vertèbres et Galshan entendit le léger craquement des os.

Contrairement à son habitude, Kudaj ne plongea pas son bec dans le ventre chaud de sa proie, à la recherche des meilleurs morceaux. Il semblait attendre quelque chose, impassible, laissant le vent lui ébouriffer les plumes.

Galshan approcha doucement et, sous l'œil doré de l'aigle, tendit la main vers la faisane. Kudaj la laissa faire sans un geste. Il lui offrait sa chasse. Elle recula en murmurant : « Merci, seigneur Kudaj. Merci... » D'un coup de couteau, elle incisa la peau de l'oiseau et lui tendit en retour le foie encore sanguinolent dont Kudaj se saisit aussitôt pour aller le déguster plus loin, en solitaire.

Tant bien que mal, Galshan découpa la faisane en morceaux qu'elle posa sur la tôle du poêle. Elle versa l'eau bouillante sur le thé et retourna les morceaux. La peau grésilla, l'odeur de la viande grillée était irrésistible.

Elle découpa l'un des filets en minuscules bouchées qu'elle introduisit une à une entre les lèvres de Baytar. Sans qu'elle en soit bien certaine, il lui sembla qu'une lueur de plaisir avait fusé entre les paupières du vieil homme.

CHAPITRE 32

Galshan enfourna une pelletée de bouse dans le poêle et referma doucement la porte de la ger. Depuis quelques jours, Baytar allait mieux. Sa fièvre avait baissé et, même s'il semblait toujours absent, il ne sombrait plus comme avant dans ces terrifiantes crises de délire qui le laissaient pantelant de peur.

Quelques puissants battements d'ailes suffirent au seigneur Kudaj pour prendre son envol dans un ciel qui semblait à jamais plombé. Emmitouflée jusqu'aux oreilles, Galshan le suivit du regard jusqu'à ce qu'il disparaisse dans la grisaille. Chaque matin, désormais, il rapportait sa chasse aux pieds de Galshan. Toujours les mêmes proies : des poules faisanes maigres, sèches et coriaces comme du bois mais qui semblaient être la meilleure chose du monde. À chaque fois, Galshan se dépêchait de les découper avant que le froid ne les gèle et en offrait les meilleurs morceaux à l'aigle. Sans lui, ni Galshan ni Baytar n'auraient pu survivre.

Comme d'habitude, elle ferma les yeux. Ce moment de rêve était le seul qu'elle arrachait au froid et à la solitude. Elle serrait la petite pierre noire d'Istanbul au creux de sa moufle et les souvenirs d'Ikhoiturüü défilaient. À la fois très proches et très lointains. Elle se demandait parfois si toutes ces journées passées à Tsagüng n'étaient pas qu'un rêve. Un interminable rêve dont le grondement de l'Ural la tirerait un jour. Elle imaginait les appels de phares de Ryham. « Le bébé est né, Galshan ! Maintenant, on rentre à la maison... » Cent cinquante-trois jours... Combien en restait-il ? Trois ? Dix ? Vingt ?...

Hiiik ! Hiiik !

Galshan rouvrit soudain les yeux et huma l'air glacé. Il n'avait plus exactement la même odeur qu'un instant plus tôt. C'était presque imperceptible et, pourtant, la dizaine de brebis rescapées le sentait aussi. Tous les bêlements avaient cessé et elles aussi levaient la tête, les narines frémissantes.

Kudaj déposa sa proie aux pieds de Galshan, mais c'est à peine si elle y fit attention. Là-bas, malgré leur faiblesse, les chevaux s'ébrouaient et se lançaient dans des galops effrénés qui tambourinaient contre le sol gelé.

L'excitation des bêtes ne fit qu'augmenter tout au long de l'après-midi.

L'obscurité tomba, les chevaux hennissaient et les brebis ne tenaient plus en place. Jusqu'au seigneur Kudaj lui-même qui claquait des ailes comme s'il avait voulu prendre son essor au cœur de la nuit. À plusieurs reprises, Galshan se leva et se risqua sur le seuil de la ger. Le froid lui brûlait la peau comme un coup de fouet, sa morsure était aussi insupportable que les nuits précédentes, mais il y avait, au cœur même de ce froid, quelque chose de très différent.

Galshan s'écroula de fatigue un peu avant l'aube. Et, pour la première fois depuis des semaines, le vent du sud se leva sur Tsagüng.

*

Un bruit minuscule la tira de son sommeil. Quelque chose de régulier, de cristallin. Plie... Plie... Plie... Galshan se redressa. Sur le seuil de la ger, le vent semblait incroyablement doux. Comme une caresse. Elle tendit la main sous une grosse stalactite. Plie... Une goutte d'eau s'écrasa au creux de sa paume. La glace fondait. Goutte à goutte. Galshan frissonna de plaisir. Il ne devait pas faire plus d'un ou deux degrés au-dessus de zéro, mais jamais encore elle n'avait ressenti une telle impression de chaleur.

— Galshan...

Elle se retourna d'un bloc. Assis sur une pierre, torse nu, Baytar enduisait sa blessure de l'onguent des brebis. Son visage cireux se plissa dans une sorte de sourire.

— Je crois bien que sans toi, je servais de déjeuner à la bête et de dîner aux vautours...

— Attas ! Mais tu es... tu es...

Ses mots se brouillèrent. Elle se précipita.

— Doucement, Galshan... Mon bras !

Ils restèrent un long moment enlacés. Sous ses doigts, Galshan sentait la maigreur de Baytar. La maladie avait distendu sa peau sèche et parcheminée, elle aurait pu compter chacun de ses os. De son bras valide, le vieil homme l'écarta doucement. Il pleurait.

Galshan le regarda un instant sans comprendre. Jamais elle n'avait imaginé que Baytar aussi puisse pleurer.

— On a l'air malin, hoqueta-t-elle, à pleurer alors qu'on devrait rire.

CHAPITRE 33

Le dégel avait transformé la piste en un large fleuve de boue dans lequel on enfonçait jusqu'aux chevilles, mais Hylbang Dshjuguwaa n'était pas homme à abandonner pour si peu. Cette fois-ci, le vieux Baytar risquait bel et bien de se retrouver devant un tribunal s'il refusait encore d'envoyer sa petite-fille au collège. Il vérifia une dernière fois que tous les papiers étaient bien dans sa sacoche, resserra son nœud de cravate et appuya de tout son poids sur le kick[1] de sa moto. Le moteur rugit et il démarra doucement, projetant derrière lui une gerbe de boue noirâtre. Il en avait pour vingt-cinq kilomètres de gadoue.

La roue arrière chassait au moindre écart et il avait le plus souvent l'impression de rouler sur une savonnette, mais pour rien au monde il n'aurait reculé son

1. Pédale de démarrage.

149

départ d'une seule journée. Le Davkhar Djout l'avait suffisamment retardé comme ça. Il repensa à la façon dont son dernier passage à Tsagüng s'était terminé. Comment ce vieux fou de berger avait-il pu prévoir un tel froid ? « Plus froid peut-être que tu n'as jamais connu depuis ta naissance », il se souvenait encore de ses paroles. Et il avait eu raison ! Mais son histoire de marmottes et de souris ne tenait pas debout, il devait avoir obtenu ses informations d'un spécialiste... Il faudrait qu'il lui demande.

La portion de piste qui coupait la steppe était bien droite et Hylbang accéléra légèrement. Derrière lui, la gerbe de boue se transforma en un petit geyser.

Il repensa à ces interminables journées de neige, de glace et de vent.

Des milliers de bêtes étaient mortes durant cette vague de froid sans précédent et l'inspecteur du district scolaire se dit que finalement, ce n'était peut-être pas une si mauvaise chose. Cette catastrophe allait être pour le pays l'occasion de tout recommencer à zéro et de devenir enfin une vraie nation moderne, digne de ce nom... Un pays où l'on aurait besoin d'hommes comme lui ! Des hommes décidés, résolument tournés vers l'avenir ! Les prochaines élections étaient dans un an, et Hylbang se voyait assez bien en président du district...

Tout à ses pensées, il ne faisait plus trop attention à la route. C'était tout droit. Boueux, mais tout droit. Président du district ! Oui... Il leur ferait des discours comme jamais ils n'en avaient entendu...

Le camion surgit droit devant lui. Un énorme camion ! Une sorte de monstre à huit essieux qui, pourtant, se rangea tout de suite du côté droit de la piste pour lui laisser la place. L'espace d'un instant, il crut reconnaître cette gigantesque masse de métal, mais il n'eut pas le temps d'approfondir. Par une sorte de réflexe stupide, il appuya de toutes ses forces sur le frein. Sa roue arrière se bloqua et il sentit la moto déraper. Ensuite, tout se passa très vite. Hylbang Dshjuguwaa eut vaguement le temps d'apercevoir le conducteur qui discutait avec une fille d'une douzaine d'années, il tenta de redresser et accéléra brutalement. Le moteur hurla et la moto se coucha aussitôt dans la boue en entraînant son pilote.

Hylbang se releva immédiatement, crotté et boueux de la tête aux pieds. Un petit crachin commençait à tomber. L'un de ses verres de lunette était fendu. Il n'avait mal nulle part, mais il se sentait complètement sonné, la tête creuse. Là-bas, le camion s'éloignait, son conducteur n'avait rien vu. De ses gants dégoulinants, il resserra son nœud de cravate et chercha à comprendre ce qui avait bien pu lui arriver. Bizarrement il ne se rappelait que d'une chose : la marque du camion.

Un Ural, il l'aurait juré.

Chapitre 34

Ryham posa un doigt sur sa bouche et adressa un clin d'œil à Galshan. Elle entrouvrit la porte et s'approcha sur la pointe des pieds. Daala ne l'aperçut pas tout de suite, elle avait dégrafé son corsage et donnait à boire au bébé. Bumbaj, le nez écrasé contre le sein de sa mère, tétait comme un petit glouton en poussant de temps à autre un soupir de plaisir. Une petite gloutonne, plutôt ! Elle finit par s'endormir, un filet blanchâtre à la commissures de ses lèvres, et Daala redressa la tête.

— Ma chérie, murmura-t-elle en souriant, te voilà enfin ! J'étais morte d'inquiétude ! Ryham a tenté je ne sais combien de fois de vous rejoindre à Tsagüng, mais, à chaque fois, il a dû faire demi-tour. Les pistes étaient impraticables. Et personne ne pouvait nous donner de nouvelles ! Impossible même d'appeler le chef de district : toutes les lignes de téléphone étaient coupées. Je n'ai pas arrêté une seconde de penser à toi ! Vous avez dû vivre des journées terribles ! Viens là, tout à côté de moi, on va prendre le temps de tout se raconter.

Elle désigna Bumbaj qui dormait, pelotonnée contre sa poitrine.

— Regarde, te voilà une grande sœur, maintenant.

Galshan s'assit tout contre sa mère qui lui glissa le bébé entre les bras. Elle se sentait presque une étrangère dans le petit appartement d'Ikhoiturüü. Tout était si différent de Tsagüng !

— Tu la tiens comme ça... Voilà. Passe ton bras ici pour lui soutenir la tête.

Galshan n'osait plus bouger, cette petite chose toute vivante entre ses bras était terriblement intimidante. Bumbaj se tortilla un instant, bâilla, fit un minuscule rototo et s'endormit tout contre sa sœur.

— Alors ?... demanda Daala.

Mais Galshan n'avait pas envie de parler. Pas tout de suite. Elle posa la tête sur l'épaule de sa mère et ferma les yeux. Daala la serra contre elle.

*

Dans la rue, Aïbora jouait avec les autres. Elle aperçut Galshan qui la regardait et lui fit signe de les rejoindre, mais elle secoua la tête. Ce n'était pas très facile de retrouver tous ses copains d'Ikhoïturüü. Comme si tout ce temps passé si loin d'ici (cent cinquante et un jours exactement, avait compté Ryham : Bumbaj était née un peu avant la date prévue) avait fait d'elle une autre fille.

Comme chaque jour depuis qu'elle l'avait quitté, elle pensa à Baytar qui était resté là-bas. Seul. Ryham avait bien insisté pour qu'il vienne passer quelque temps ici, il paraissait si faible, mais il avait refusé en regardant les quelques brebis chétives que l'hiver lui avait laissées.

— Il faut que je m'occupe du troupeau, avait-il simplement répondu en roulant malhabilement une cigarette.

Son bras n'obéissait plus très bien.

Galshan était partie en lui laissant *Le vieil homme et la mer*.

De l'autre côté de la rue, malgré le soleil qui chauffait leurs façades, les immeubles semblaient d'une tristesse infinie. Galshan leva les yeux au-dessus des cheminées de béton.

— Kudaj ! s'exclama-t-elle si fort que Daala sursauta.

Tout au bout de l'horizon, le petit point noir grossit rapidement. De la taille d'un passereau tout d'abord, puis d'un pigeon...

Galshan n'eut que le temps de rabattre sa manche sur son poignet et l'aigle se laissa glisser doucement

jusqu'à elle. Ses serres lui rentraient dans la chair,
mais c'est à peine si Galshan les sentit.

— Va, seigneur Kudaj, va ! Tu as toujours été
libre...

L'aigle la regarda de son œil doré et, dans un cri,
prit son essor. Daala s'approcha en silence.

— C'est incroyable, murmura-t-elle, presque tous
les jours j'ai rêvé qu'un aigle comme celui-ci
m'apportait de tes nouvelles.

Galshan hocha la tête. Ce n'est qu'à ce moment
qu'elle aperçut le petit filet de sang que les serres
de Kudaj avaient laissé sur son bras.

Xavier-Laurent Petit

L'auteur est né en 1956 dans la région parisienne. Enfant, il adorait s'inventer des histoires. Après des études de philosophie, il est devenu instituteur, puis directeur d'école. Passionné de lecture et de montagne, il se consacre aujourd'hui à l'écriture, principalement pour la jeunesse. Il a publié des romans à l'École des Loisirs, chez Casterman et Flammarion Jeunesse.

Du même auteur :

Piège dans les Rocheuses
Le Col des Mille Larmes
La Route du Nord

SYLVAIN BOURRIÈRES

Sylvain Bourrières vient de Lyon où il a appris son premier métier : carrossier. « Dans le lycée professionnel que je fréquentais, il y avait une prof d'anglais formidable : je passais mon temps à dessiner pendant ses cours, et au lieu de s'énerver, elle m'encourageait. Grâce à elle, plus tard, je suis entré aux Arts déco à Strasbourg. » Quand il retourne à Lyon, il prend des photos, fait des croquis. « J'aimerais qu'un jour, ça devienne un livre. On y verrait le garage Vax, où j'ai travaillé avec des gens magnifiques qui m'ont donné envie de les dessiner, de parler d'eux, plutôt que de faire de la soudure ! »

TABLE DES MATIÈRES

Imprimé à Barcelone par:

BLACK PRINT

Dépôt légal : septembre 2011
N° d'édition : L.01EJEN000693.C006
Loi n° 49-956 du 16 juillet 1949
sur les publications destinées à la jeunesse